Медитации

Sa Sainteté le Dalaï-Lama

365 MÉDITATIONS QUOTIDIENNES POUR ÉCLAIRER VOTRE VIE

Далай-Лама

365

МЕДИТАЦИЙ НА КАЖДЫЙ ДЕНЬ

Москва
«ЯУЗА»
«ЭКСМО»

УДК 133.5
ББК 86.42
Д 15

Sa Sainteté le Dalaï-Lama

365 MÉDITATIONS QUOTIDIENNES
POUR ÉCLAIRER VOTRE VIE

Дизайн переплета и суперобложки *Юрия Щербакова*

Далай-Лама
Д 15   365 медитаций на каждый день / Далай-Дама ; [пер.
с фр. Е. Маруниной]. — М. : Эксмо, 2013. — 320 с. —
(Медитации).

ISBN 978-5-699-63585-6

Лауреат Нобелевской премии мира, духовный лидер буддистов Далай-Лама утверждает, что истинным мерилом ценности человеческой жизни является дар любви, доброты и сострадания — качеств, изначально присущих человеку как разумному существу... В этой книге найти ответы на самые главные жизненные вопросы смогут не только приверженцы буддизма, но и каждый, кто задумывается о смысле жизни.

УДК 133.5
ББК 86.42

ISBN 978-5-699-63585-6

СОДЕРЖАНИЕ

ЧАСТЬ ТРЕТЬЯ

РАЗМЫШЛЕНИЯ ОБ ОБЩЕСТВЕННОЙ ЖИЗНИ 117

ЧАСТЬ ПЕРВАЯ

РАЗМЫШЛЕНИЯ О СМЫСЛЕ ЖИЗНИ

1

Здравый смысл, несомненно, нам подсказывает, что, так как человеческая жизнь коротка, необходимо приложить все возможные усилия для того, чтобы извлечь из нашего кратковременного пребывания на Земле нечто полезное как для себя, так и для других.

2

Всем нам, как представителям единого человеческого рода, от рождения дарованы равные возможности, разумеется, в том случае, если наше умственное развитие происходит без каких-либо отставаний. Чудесный механизм, который представляет собой человеческий мозг, — это источник нашей силы и залог нашего будущего, — конечно же, лишь при условии, что его возможности используются по назначению. Если же мы используем чудесные возможности нашего разума не по назначению, то в этом случае наше интеллектуальное богатство способно стать лишь источником неисчислимых бедствий.

3

Я считаю, что представители рода человеческого являются наиболее совершенными созданиями среди всех живых существ, населяющих нашу планету. Люди не только наделены даром, позволяющим сделать собственную жизнь счастливой, но также и даром помогать другим. Чрезвычайно важно осознавать, что в нас от рождения природой заложено стремление к созиданию.

4

Это может показаться удивительным — но, тем не менее, невозможно принести пользу самому себе, не принося пользы другим. Хотим мы того или нет, мы все связаны друг с другом, и поэтому немыслимо быть творцом лишь своего собственного счастья. Тот, кто заботится только о себе, в конце концов, неизбежно по собственной воле сам обрекает себя на страдания. Тот же, кто заботится только о других, заботится и о себе, подчас даже не осознавая этого. Даже если мы и решим не любить никого, кроме себя, то возлюбим себя по-умному: будем помогать в этом другим!

5

Обычно нам свойственно не отличать главного от второстепенного. Мы проводим нашу жизнь в погоне за всевозможными удовольствиями, доступными нам каждую минуту, так и не получая от этого заветного удовлетворения. Мы стремимся быть счастливыми любой ценой, подчас не задумываясь о том, что по пути к достижению этой цели мы порой причиняем страдания другим. Мы готовы на все, стремясь к обладанию и отстаивая наше право на пользование благами, которые, по сути, являются преходящими и не даруют истинного счастья.

6

Наш разум обуреваем гневом, завистью и другими отрицательными эмоциями, но мы подчас не отдаем себе отчета в том, что эти эмоции непримиримы с ощущением радости, душевного покоя. Разумность, всегда присущая человеку, служит нам для того, чтобы лицемерить, стремиться к обладанию всевозможными благами за счет других. В конце концов, мы обретаем лишь страдание, и — что самое нелепое — обвиняем в наших бедах других.

7

Давайте же будем использовать наши умственные способности сознательно. Иначе в чем же будет заключаться наше отличительное превосходство над животными?

8

Если мы действительно стремимся постичь истинный смысл жизни и обрести подлинное счастье, то начнем с главного — обретения способности здраво мыслить. Будем воспитывать в себе человеческие качества, уже присущие нам всем от рождения, но которые мы подчас губим в нашем сознании под спудом нелепых мыслей и отрицательных переживаний.

9

Будем же воспитывать в себе любовь и сострадание — две основные добродетели, придающие жизни истинный смысл. Все остальное — второстепенно. Вот та религия, которую я исповедую с еще большей убежденностью, нежели буддизм. Эта религия проста. Ее святилище — в вашем сердце. Ее основополагающие принципы — любовь и сострадание. Ее нравственная основа — это любовь и уважение к другим, независимо от того, кто они. Мы должны любить и уважать других независимо от того, исповедуют ли они какую-либо веру или нет. И, если мы хотим даже только выжить в этом мире, у нас просто нет иного выбора.

10

Быть отзывчивым, искренним, предаваться добрым мыслям, уметь прощать тем, кто причиняет нам зло, видеть в каждом друга, помогать страждущим и никогда не показывать своего превосходства над другими людьми: даже если эти советы кажутся вам слишком очевидными, постарайтесь почувствовать, что следование им делает вас счастливее.

11

Не нужно предаваться долгим размышлениям, чтобы прийти к выводу о том, что все живые существа от природы ищут счастья и не приемлют страдания. Вы не найдете даже насекомого, которое бы не прилагало усилий для того, чтобы избежать страданий и ощущать себя счастливым. А люди, кроме того, наделены способностью к мыслительной деятельности. Мой первый совет — используйте эту способность в благих целях.

12

Наслаждение и страдание коренятся в чувственном восприятии и подразумевают стремление к внутреннему удовлетворению. Для нас важнее всего внутреннее удовлетворение. Оно свойственно лишь человеку. Животные, за некоторыми малыми исключениями, не способны ни наслаждаться, ни страдать.

13

Умиротворенность — основное свидетельство внутреннего удовлетворения. Умиротворенность проистекает из щедрости, честности и нравственного поведения — то есть поведения, уважающего право других на счастье.

14

Большая часть наших бед происходит от того, что мы слишком одержимы стремлением к мыслительной деятельности. В то же время наши помыслы далеко не всегда чисты. Мы проявляем интерес лишь к получению сиюминутного удовлетворения, не задумываясь о будущих последствиях такого шага для себя и для окружающих. Однако такое наше поведение, в конце концов, непременно оборачивается против нас самих. Несомненно, что лишь изменив наш взгляд на вещи, мы сможем облегчить сами себе трудности сегодняшнего дня и воспрепятствовать их возникновению в будущем.

15

В жизни есть моменты, неизбежно сопряженные со страданием (например, такие, как появление на свет, болезнь, старость, смерть). Единственное, что мы можем сделать, — это по возможности предупредить наш внутренний страх, сопутствующий им. Но большинства проблем, с которыми мы сталкиваемся в нашей повседневной жизни в этом мире, начиная супружескими распрями и кончая самыми опустошительными войнами, можно избежать, лишь добровольно восприняв способность к здравому мышлению.

16

Если мы мыслим предвзято, если мы проявляем недальновидность, а наши способы достижения цели основаны лишь на поверхностных суждениях, если мы не смотрим на вещи правдиво и беспристрастно, то мы лишь усугубляем трудности, ранее представлявшие собой лишь незначительные недоразумения. Иными словами, мы создаем большинство наших жизненных проблем собственными руками. С этого утверждения мне хотелось бы начать.

РАЗМЫШЛЕНИЯ
О МОЛОДОСТИ

17

Я всегда рад встречам с молодыми — будь то в наших школах для переселенцев или во время моих путешествий по Индии или за границей. Молодежь всегда прямолинейна и искренна, ее разум более восприимчив и более гибок, чем разум взрослых. Когда я вижу перед собой ребенка, первое, о чем я думаю, — о том, что, по сути, это мой собственный ребенок или мой давний хороший друг, о котором мне надлежит трепетно заботиться.

18

Самое основное в отношениях с детьми — это постоянная забота о том, чтобы процесс их образования в самом широком смысле слова —

усвоение знаний, а также развитие основных человеческих качеств — протекал наиболее гармонично. Именно в детстве закладываются основные качества, необходимые для жизни. Способ мышления, который мы усваиваем в решающие годы формирования личности, характера, интеллекта, в дальнейшем обязательно существенно повлияет на всю нашу жизнь, подобно тому, как питание и соблюдение гигиены тела непременно отразятся на нашем будущем здоровье.

19

Если молодежь не посвящает все свое время самообразованию, то в дальнейшем молодым будет чрезвычайно трудно заполнить этот пробел. Я смог в этом убедиться на собственном опыте. Иногда случалось, что я не испытывал ни малейшего интереса к тому, чему меня обучали, не прилагая особых усилий для овладения знаниями. В дальнейшем мне не раз приходилось об этом жалеть. Я постоянно напоминаю себе, что в то время я что-то безвозвратно упустил. Основываясь на этом опыте, я советую молодым относиться к годам ученичества как к самому важному периоду своей жизни.

20

Необходимо с самого детства учить умению слышать друг друга и помогать друг другу. Разумеется, незначительные споры и разногласия неминуемы, но важно научиться умению прощать друг друга и никогда не хранить в душе обиду.

21

Иногда может показаться, что детям несвойственно задумываться о серьезных вещах, например о смерти. Но когда я слышу вопросы, которые дети мне задают, я понимаю, что они часто размышляют над важными проблемами, в частности, над тем, что происходит с нами после того, как наш земной путь завершен.

22

Детство — пора расцвета умственных способностей, время, когда в пытливом мозгу возникает бесчисленное множество самых разнообразных вопросов. Это неослабевающее стремление к познанию является залогом нашего самосовершенствования. Чем живее в нас интерес к окружающему миру, стремление приблизиться к познанию фундаментальных законов его бытия, существующего порядка вещей, системы причинно-следственных связей, тем более развитым и незамутненным становится наше сознание и тем живее в нас стремление к активной созидательной деятельности.

23

Наше современное общество отличает склонность к постепенной утрате интереса к тому, что я называю врожденными человеческими качествами — доброте, состраданию, умению выслушать другого, способности прощать. В детстве мы так легко сходимся с другими людьми. Вместе посмеялись над шуткой — и вот мы уже друзья. Мы не спрашиваем, чем занимается наш собеседник, нас не интересует его происхождение. Важно лишь то, что он — такой же человек, как и мы, а человека отличает потребность в общении.

24

По мере взросления мы придаем все меньше и меньше значения любви, дружеской привязанности, стремлению прийти на помощь друг другу в трудную минуту. На первый план выходят проблемы, связанные с социальным происхождением, вероисповеданием, национальной

принадлежностью. Таким образом, сосредота-
чивая наше внимание на вещах второстепенных,
мы подчас забываем о самом главном.

25

Именно поэтому я настоятельно прошу всех,
находящихся на пороге своего пятнадцатилетия
или шестнадцатилетия, сделать все возможное
для того, чтобы не растратить детскую свежесть
мировосприятия. Напротив, чрезвычайно важно
суметь сохранить ее в первозданности, постоянно уделяя ей необходимое внимание. Как
можно чаще размышляйте о том, что составляет
основу внутреннего духовного мира человека,
неустанно познавайте свою собственную природу, дабы проникнуться несгибаемой верой
в себя, черпая в себе самом уверенность в своих
собственных силах. Важно уже с самых ранних
лет отдавать себе отчет в том, что человеческая
жизнь сложна. Чтобы прожить ее достойно и не
впасть в уныние перед трудностями, необходимо
ощущение уверенности в себе.

В наши дни очень высоко ценится индивидуализм, право каждого самостоятельно решать свою судьбу, подчас не принимая в расчет духовные и материальные ценности и традиции общества. Индивидуализм — положительное качество. Но чаще всего мы воспитываемся на ценностях, привнесенных в нашу жизнь извне — по каналам средств массовой информации, в частности, телевидения. Информация, полученная извне, становится для нас единственным проводником знаний о мире, единственным источником вдохновения. Эта постоянно возрастающая зависимость лишает нас самостоятельности, способности мыслить и развивать изначально заложенные в нас нравственные качества, это приводит к тому, что мы утрачиваем способность доверять нашей собственной природе.

27

Я полагаю, что вера в себя и умение пережить одиночество суть основные качества, необходимые для того, чтобы состояться в жизни. Я имею в виду не слепую уверенность, а осознание наших скрытых возможностей, уверенность в том, что мы всегда способны признавать и исправлять свои ошибки, совершенствоваться, духовно обогащаться, в том, что самосовершенствованию нет предела.

28

Излюбленные темы сообщений средств массовой информации — кражи, преступления, поступки, на которые людей толкают зависть или ненависть. Однако нельзя утверждать, что в мире не происходит ничего положительного, являющегося проявлением лучших человеческих качеств. Разве нет ни одного человека, который бы заботился о немощных, о сиротах, о калеках, не думая о собственной выгоде;

никого, чьи поступки не вдохновляла бы любовь к ближнему? Таких людей очень много, так много, что мы уже привыкли воспринимать их поступки как совершенно обычные человеческие проявления.

Я убежден, что сама человеческая природа несовместима со стремлением к убийству, насилию, воровству, лжи и другими негативными проявлениями и что мы все способны на любовь и сострадание. Обратим внимание на то, какую важную роль непосредственное сопереживание играет в нашей жизни с самого момента рождения. Без него мы уже давно не смогли бы поддерживать в себе жизнь. Заметим, как нам хорошо, когда мы окружены любовью ближних, когда мы сами дарим другим нашу любовь, — и, напротив, какими несчастными мы себя ощущаем в моменты одержимости гневом или ненавистью.

Наши помыслы и поступки, вдохновленные чувством любви, чрезвычайно благоприятны для нашего здоровья — как нравственного, так и телесного. Они являются неотъемлемой частью нашей истинной природы. Поступки же, вдохновленные жестокостью, презрением, ненавистью, напротив, противны нашей природе. Именно поэтому мы испытываем постоянную насущную потребность говорить об этом, именно поэтому об этом говорят на страницах газет. Проблема заключается в том, что постепенно мы исподволь приходим к мысли о том, что человеческая природа несовершенна. И, может быть, однажды мы будем вынуждены признать, что человек в этом мире обречен.

Я считаю необходимым сказать молодым: уважайте и развивайте лучшие человеческие качества, заложенные в вас природой. Именно на них пусть основывается ваша непоколебимая вера в себя, позволяющая вам обрести себя в жизни!

32

Некоторые молодые часто вступают во взрослую жизнь, сами не зная, чего они стремятся в этой жизни достичь. Они выбирают профессию наугад, потом, понимая, что к избранному жизненному пути душа не лежит, выбирают другую, снова бросают ее — и, в конце концов, бросают все, оправдываясь отсутствием интереса.

Если вы относитесь к их числу, то поймите: жизнь нелегка. Не надейтесь, что у вас все сразу получится и что все жизненные трудности чудесным образом разрешатся сами собой.

Выбирая по окончании учебы область действенного приложения полученных знаний, принимайте в расчет ваши природные склонности, уровень ваших знаний, развития ваших способностей; полагайтесь на ваши собственные интересы и, может быть, интересы вашей семьи, ваших друзей и знакомых. Может быть, представляется разумным выбирать профессию, уже освоенную до вас другими. Тогда вы сможете воспользоваться их советами и положиться на их жизненный опыт. Примите в расчет все вышеназванные критерии, оцените предоставляющиеся вам возможности с точки зрения наиболее полного соответствия вашим потребностям и на основании этого делайте свой выбор. Сделав выбор, неукоснительно следуйте ему. Даже если вы сталкиваетесь с трудностями, будьте готовы их преодолеть. Верьте в себя и сосредоточьте все свои силы на противостоянии жизненным трудностям.

34

Если вы разрываетесь между возможностями овладения сразу несколькими профессиями, возможности овладения которыми предоставляются вам подобно подаваемым к столу блюдам, от каждого из которых вы можете взять кусочек, дабы попробовать кушанье и оценить ваши кулинарные предпочтения, — в таком случае вам вряд ли удастся преуспеть в жизни. Убедите себя в том, что в один прекрасный момент вы неизбежно столкнетесь с необходимостью выбора. Но нет в мире совершенства.

35

Мне иногда кажется, что мы все ведем себя подобно избалованным детям. В детстве мы полностью зависим от родителей. Потом мы идем в школу, где нам дают образование, где нас обеспечивают пропитанием, одеждой, а весь груз наших проблем, как и прежде, несут на своих плечах другие. Когда же наконец со временем мы обретаем способность самостоятельно заботиться о своем существовании, нести возложенную на нас ношу, — мы представляем себе, что это очень легко! И такое наше представление вступает в противоречие с реальностью. Все без исключения существа в этом мире неизбежно сталкиваются с трудностями.

РАЗМЫШЛЕНИЯ О ЗРЕЛОСТИ

36

Ремесло, которому мы посвящаем себя, — это не только способ заработать себе на жизнь, но и возможность оплатить наш долг перед обществом, частью которого мы являемся. Впрочем, отношения между нами и обществом основаны на принципе обратной связи. Мы пользуемся благами, которые предоставляет нам процветающее общество, во времена неблагополучия мы наживаемся на общественных бедах. Сообщество, к которому мы принадлежим, в свою очередь, оказывает влияние на другие общественные группы, а посредством этих групп — на человечество в целом.

37

Если местность, где вы живете, экономически благополучна, то это благополучие непременно положительно скажется на процветании всего края. Экономическое развитие Франции, в свою очередь, существенно влияет на европейскую экономику, а развитие европейской экономики оказывает влияние на мировой экономический прогресс. Сегодня европейская общественность представляет собой единый организм, и общественная позиция каждого в отдельности непосредственно влияет на социальное развитие в целом. Я думаю, нам необходимо задуматься над этим.

38

Утверждая, что благосостояние общества непосредственно отражается на благополучии каждого из нас, я ни в коем случае не хочу призывать принести свое личное благоденствие в жертву во имя общественного процветания. Я лишь хочу сказать, что благополучие отдельной лич-

ности и благосостояние общества в целом
тесно взаимосвязаны. В наши дни мы склонны
противопоставлять судьбу отдельного человека
судьбе общества. Важна отдельная личность, а не
общество в целом. Но если мы немного расши-
рим наше поле зрения, то мы увидим, что, в конечном счете, такая позиция не имеет под собой
никакой почвы.

39

Все людские радости и страдания основаны
не только на внешней удовлетворенности или
неудовлетворенности. Прежде всего важна их
духовная сущность. Не будем об этом забывать.
Если у вас есть добротный, хорошо обстав-
ленный дом, роскошная машина в гараже, счет
в банке, престижное положение в обществе
и уважение окружающих, — это еще ни в коей
мере не означает, что вы счастливы. Даже если
вы в один миг разбогатеете и станете миллиар-
дером, — значит ли это, что в тот же миг счастье
само выйдет вам навстречу? Есть все основания
усомниться в этом.

40

Духовное наслаждение, которое получают люди от созерцания живописных полотен или от прослушивания музыки, показывает, что внутреннее эстетическое удовлетворение играет в развитии личности первостепенную роль по сравнению с низменными телесными удовольствиями или неудержимым стремлением к обладанию материальными благами.

В то же время это удовлетворение большей частью достигается с помощью слуховых или зрительных ощущений, а значит, может доставить лишь временное удовольствие, в принципе ничем не отличающиеся от эйфории, которую дарит наркотик. Как только мы выходим из музея после посещения художественной выставки или из концертного зала, эстетическое наслаждение перерастает в неодолимое стремление вновь испытать его. Поэтому мы никогда не достигнем истинного духовного удовлетворения.

41

Получение внутреннего удовлетворения является главной потребностью человека. Не отказывайте себе в удовлетворении ваших даже самых малых потребностей. Мы все имеем право на минимально необходимое. Мы должны быть уверены, что это минимально необходимое нам доступно. Даже если нам приходится оспаривать наше право на обладание минимально необходимым — мы имеем на это право. Даже если для получения минимально необходимого приходится протестовать — мы имеем право на протест. Но не будем впадать в крайности. Если мы постоянно испытываем внутреннее неудовлетворение и постоянно стремимся к обладанию большим, то мы никогда не будем счастливы, ибо постоянно будем ощущать нехватку чего-то, необходимого нам для полного счастья.

Внутреннее удовлетворение не зависит ни от внешних материальных обстоятельств, ни от чувственного удовольствия. Оно коренится в нашем собственном индивидуальном сознании. Очень важно признать основополагающую роль стремления к получению внутреннего, духовного удовлетворения.

РАЗМЫШЛЕНИЯ О СТАРОСТИ

43

Если мы не исповедуем никакой веры, то в старости важно признать, что основные моменты нашего бытия, сопряженные со страданием, — рождение, болезнь, старость, смерть — составляют неотъемлемую часть нашего жизненного пути. С самого момента появления на свет в нас уже заложено осознание неизбежности старости и смерти. Это так. Поэтому не имеет смысла уверять себя в том, что это несправедливо, в том, что все могло бы быть иначе.

44

Согласно заповедям буддизма, возможность жить долго зависит от наших прошлых заслуг. Даже если вы не исповедуете буддизм, подумай-

те о всех тех, кто умирает в молодости, и ра-
дуйтесь тому, что вам выпало счастье прожить
долгую жизнь.

45

Если первая половина вашей жизни была напол-
ненной, помните, что на протяжении этого времени вы служили тому, чтобы принести пользу
обществу, что вы с искренним желанием труди-
лись ради общего благоденствия. А это значит,
что на сегодняшний день вам не о чем жалеть.

46

Если вы исповедуете какую-либо религию, то
молитесь или предавайтесь медитации в зависимости от канонов вашей веры. Если вы пребыва-
ете в здравом рассудке, то предайтесь размышлениям о том, что рождение, болезнь, старость,
смерть неизбежны и составляют неотъемлемую

часть человеческой жизни. Признание и принятие этой неоспоримой истины помогут напол-
нить вашу старость светом.

47

Скоро мне исполнится шестьдесят семь лет.
Если бы у меня не хватало смелости время от
времени признаваться себе в том, что на протяжении этих лет мое тело неуклонно стареет, мне
было бы трудно примириться с моим сегодняш-
ним состоянием. В старости вам необходимо,
не поддаваясь самообману, осознать, что для вас
значит эта пора вашей жизни, дабы попытаться
извлечь для себя из преклонных лет возможно
больше пользы.

48

Спросите себя, чем вы могли бы еще послужить
обществу, в котором вы пока живете. Ваши знания могли бы принести обществу больше поль-

зы, чем знания тех, кто прожил на свете меньше вас. Расскажите историю вашей жизни вашим домочадцам и близким, поделитесь с ними жизненным опытом. Если вы любите предаваться общению с внуками, заниматься с ними, постарайтесь передать им свои знания и научить их тому, чем овладели сами. Поощряйте их стремление к самосовершенствованию. Не уподобляйтесь старикам, целыми днями ворчащим и жалующимся на судьбу. Не растрачивайте понапрасну ваши жизненные силы. Так вы станете неприятным в общении, и тогда ваша старость превратится для вас в подлинное испытание.

ЧАСТЬ ВТОРАЯ

РАЗМЫШЛЕНИЯ О ЖИЗНЕННЫХ СИТУАЦИЯХ

РАЗМЫШЛЕНИЯ
О МУЖЧИНАХ И ЖЕНЩИНАХ

Не подлежит сомнению, что между мужчиной и женщиной существуют физиологические различия, что, в свою очередь, определяет различия в эмоциональной организации представителей противоположных полов. Но способ мышления мужчин и женщин, способность к ощущениям и все остальные присущие им общечеловеческие качества, по сути, изначально одни и те же. Мужчины более приспособлены для тяжелой физической работы, женщины наиболее ярко проявляют себя в областях деятельности, требующих ясности ума и сноровки. Мужчины и женщины равны в тех жизненных ситуациях, в которых большую роль играет мыслительная деятельность.

Так как между мужчиной и женщиной нет разительных различий, — то само собой разумеется, что они обладают равными правами и что любое ущемление этих прав является проявлением несправедливости. Кроме того, мужчины нуждаются в женщинах в той же степени, в какой женщины нуждаются в мужчинах.

Когда женщины считают, что их права ущемляются, они вправе заявить об этом мужчинам — и тогда мужчинам придется держать ответ. Вот уже в течение двадцати лет как я и сам отстаиваю право женщин Индии на образование и их право быть избранными на любую общественную должность наравне с мужчинами.

51

Согласно канонам буддизма мужчины и женщины в равной степени обладают тем, что принято называть природой Будды, или скрытой возможностью познать Божественное Озарение. Таким образом, по сути мужчины и женщины абсолютно равны.

52

В некоторых традиционных представлениях всегда имело место мнение о неравенстве мужчины и женщины. Но это неравенство имело, прежде всего, общественные и культурные предпосылки. Нагарджуна[1] в своем сочинении *Драгоценная Гирлянда* и Шантидева[2] в *Бодхикари-*

---

[1] *Нагарджуна*, живший во II веке, — один из главных толкователей учения Будды, явился основателем течения Мадхьямика, или Срединный путь, — одного из основных направлений философии Махаяна.

[2] *Шантидева* — индийский поэт и философ VIII века — один из великих последователей буддизма. В своем

аватаре говорят об «изъянах женского тела». Однако они не ставили своей целью показать подчиненное положение женщины. Случилось так, что большинство давших обет послушания были мужчинами. Описание изъянов ставило целью помочь этим мужчинам преодолеть желание плотской близости с женщиной. Женщина-послушница должна, в свою очередь, посвящать себя аналогичному изучению изъянов мужского тела.

знаменитом трактате Бодхикариаватара он разъяснил основы и суть нравственного поведения бодхисатвы — то есть посвященного, стремящегося через познание и посвящение в тайну Божественного Озарения открыть всему миру путь к избавлению от страданий.

В самых совершенных приемах духовной практики Ваджраяна[1] не только нет ни малейшего намека на разделение мужчины и женщины, но, напротив, именно возвышение женщины играет в них главную роль. Более того, неуважение к женщине рассматривается как неповиновение наставникам.

---

[1] *Ваджраяна* — одна из трех духовных практик, способов толкования буддизма. Два других — Хинаяна (Малый путь) и Махаяна (Великий путь). Ваджраяна, или Алмазный путь, — путь духовного совершенствования, названный так потому, что он характеризует высшую неразрушимую и вечную природу живых существ и вещей, по чистоте сравнимую с алмазом. Эта практика отличается, среди прочего, большим разнообразием способов, позволяющих как можно быстрее достичь состояния Божественного Просветления.

РАЗМЫШЛЕНИЯ
О СЕМЕЙНОЙ ЖИЗНИ

54

Семья — основная, наиболее значимая ячейка общества. Если в семье царит согласие и дух уважения к общечеловеческим ценностям, то счастливая жизнь и лад обеспечены не только родителям, но и детям, внукам, а может быть, даже следующим поколениям. Если они почитают религию, то и дети, несомненно, унаследуют это почитание. Если между родителями царит ласковое обращение, если их поведение нравственно[1], если они любят и уважают друг друга, помогают нуждающимся и заботятся об окружающих, то им предоставляются все возможности для того, чтобы и их дети поступали так же и сами несли ответственность

---

[1] Под нравственным поведением в буддистской традиции, развиваемой Далай-Ламой, понимается поведение, предписывающее воздерживаться от любых поступков, которые могут причинить зло другим.

за себя и других. Напротив, если мать и отец постоянно враждуют и злословят в адрес друг друга, если они позволяют себе все, не считаясь с окружающими, они не только никогда не обретут счастья, но и, несомненно, лишат этого дара своих детей.

55

Как последователь буддизма, я часто напоминаю жителям Тибета, что, если есть место, где им надлежит сосредоточить все усилия для восстановления и развития учения Будды, то таким местом является именно семья. Именно в рамках семьи родители должны насаждать свою веру, воспитывать детей, становясь для них истинными духовными наставниками. Родителям недостаточно лишь показывать детям картинки, рассказывая о том, что на них изображено то или иное божество. Родителям надлежит разъяснять большее: вот это божество олицетворяет сострадание, это — высшую мудрость и так далее. Чем больше родители будут проникаться заповедями Будды, тем более ощутимое положительное воздействие они смогут оказывать на детей. Очевидно, что это также приемлемо и для людей, являющихся наследниками других духовных традиций или религиозных верований.

56

Одна семья передаст свой опыт другой, та, в свою очередь, — следующей, та — еще десяти, сотне, тысяче семей — и все человечество, в конце концов, сможет приблизиться к лучшей жизни.

57

Когда некоторые утверждают, что люди утратили уважение ко всему, тогда как в обществах, которых в меньшей степени коснулось влияние технического прогресса, люди ведут себя зачастую более сознательно, — необходимо смягчить это суждение. Индийские поселения в Гималаях, например, труднодоступны и еще более труднодосягаемы для веяний технического прогресса. Действительно, там почти не совершается краж и убийств, ибо люди привыкли довольствоваться тем, что имеют. Есть даже местности, где обычай предписывает оставлять дверь открытой, уходя из дома, для того, чтобы вероятные случайные прохожие могли войти, расположиться в доме и подкрепиться в ожидании возвращения хозяина. Напротив, в крупных городах, таких, как Дели, многочисленны преступления, людям свойственно постоянное недовольство жизнью, — а это создает многочисленные трудности. Но я полагаю, что неверным было бы, исходя из этих трудностей, говорить о неблагоприятном уровне экономического развития и о необходимости возврата в прошлое.

58

Доверие и уважительное отношение к другим, присущие традиционным формам общественного уклада, часто проистекают из требований выживания и, по предполагаемому незнанию, из представлений о том, что существуют какие-то иные возможные стили жизни. Спросите тибетских кочевников, не стремятся ли они к тому, чтобы чувствовать себя более защищенными от зимних холодов, располагать источниками тепла, не дающими копоти, оставляющей черный налет на стенах жилища и на предметах домашней утвари? Не хотят ли они получать надежную медицинскую помощь в случае болезни или иметь возможность наблюдать за тем, что происходит на другом конце Земли с помощью телевизионного приемника? Я заранее знаю их ответ.

59

Экономический и технический прогресс благоприятен и необходим. Он зависит от множества факторов, о сложности которых мы не задумываемся, и было бы наивным полагать, что, внезапно затормозив его, можно будет разом решить все проблемы. Но развитие не может быть пущено на самотек. Техническое и экономическое развитие общества неотделимы от стремления к нравственному совершенствованию. Наш долг, долг всех живущих на Земле — заботиться о разрешении этих двух связанных друг с другом проблем сообща. Это ключ к нашему будущему. Лишь общество, в котором материальное благосостояние и нравственное развитие дополняют друг друга, может считаться счастливым.

60

Семья призвана играть свою основополагающую роль. Если в семьях царит истинный мир, если семья является не только оплотом и источником передачи жизненного опыта, но и истинных духовных ценностей, если в семье возможно непосредственно приобщиться к опыту посредством отношений, основанных на искренности и любви к ближнему, — то становится возможным довести общество до его совершенного состояния. Для меня семья — это, прежде всего, сообщество, основанное на громадной ответственности.

61

Главное, чтобы именно в семье дети по-настоящему развивались, приобретали и совершенствовали заложенные в их натуре основополагающие человеческие качества, достойно вели себя, дабы духовные силы помогали им морально поддерживать друг друга. Дети должны быть небезразличны к тому, что происходит вокруг, и служить примером для остальных. В дальнейшем такие дети смогут полностью посвятить себя избранному жизненному пути, подавая пример последующим поколениям. Я убежден, что даже если они превратятся в стариков-профессоров, смотрящих на мир сквозь толстые линзы своих очков, они смогут сохранить благородные привычки, заложенные в юные годы.

62

Чтобы семья могла успешно справляться с этой возложенной на нее задачей, необходимо, чтобы с самого начала союз мужчины и женщины основывался не на простом влечении к физическому совершенству друг друга, упоении звуком голоса или прочих внешних проявлениях. Мужчине и женщине необходимо сначала научиться пристально изучить себя и друг друга. Если каждый находит в своем спутнике определенные достоинства, если чувства мужчины и женщины взаимны, то их союз, основанный на взаимном уважении и снисхождении, сможет с большой долей вероятности продлиться долгие годы и принести истинное счастье.

63

Если же, напротив, людей связывает простое стремление к удовлетворению полового влечения, биологическая привязанность, сродни стремлению торговать своим собственным телом, исключающие интерес к душевным качествам друг друга, взаимное уважение, то они будут связаны друг с другом лишь до тех пор, пока в них сильно сексуальное влечение. Но если чувство взаимной привязанности не подкреплено чувством глубокого взаимного уважения, то, как только пройдет лихорадочное возбуждение от внезапно нахлынувшей страсти, совместная счастливая жизнь станет невозможной. Эту любовь называют слепой. Спустя некоторое время такая любовь часто превращается в свою противоположность. Если у супружеской пары есть дети, то они в свою очередь рискуют лишиться родительской любви. Очень важно подумать об этом, прежде чем принимать решение связать свою жизнь с кем-либо.

64

Однажды в Сан-Франциско я встретил христианского священника, помогавшего молодым найти свою пару. Всем он рассказывал, что им необходимо познакомиться с большим числом молодых людей или девушек, прежде чем сделать окончательный выбор. Принимая поспешное решение о заключении брака сразу же после первой встречи, они сами становились жертвой собственных заблуждений. Я посчитал, что иначе и быть не могло.

65

Не следует забывать, что с момента заключения брака двое составляют единое целое. Даже когда мы одни, то, о чем мы думаем с утра, может противоречить тому, о чем мы думаем вечером. Излишне говорить, что у двух людей, живущих вместе, разногласия могут возникать в любой момент. Если каждый из супругов интересуется лишь собственными мыслями и не принимает во внимание мысли своей «половины», то такие люди не могут жить вместе.

66

С того самого момента, как мы приняли решение связать свою жизнь с кем-то, мы приняли на себя обязанность трепетно заботиться о нем и проявлять внимание к ходу его мыслей. Что бы ни случилось, каждый из супругов обязан нести свою долю ответственности. Совместная жизнь двоих не может быть делом лишь кого-то одного.

67

Мужчина призван удовлетворять потребности женщины, и женщина призвана удовлетворять потребности мужчины. Если ни один, ни другой не выполняют своего долга, единственный возможный выход — размолвка и расставание. Если у супругов нет детей, в этом нет ничего страшного. Судебная тяжба, оформление документов — простое изведение бумаги. Но если в семье есть дети, то у них на всю жизнь останется чувство горькой обиды.

68

Многие супружеские пары распадаются. Часто для этого есть веские основания. Но все же, по моему убеждению, сначала необходимо, чтобы они сделали все возможное для того, чтобы продолжить счастливую совместную жизнь. Конечно, это требует определенных усилий и размышлений. Если же разрыв неминуем, то главное — не принимать скоропалительных решений, дабы не причинять друг другу непоправимого зла.

69

Если вы решите связать свою жизнь с кем-либо, примите это решение серьезно и неторопливо. Если вы уже живете вместе, подумайте об ответственности, которую возлагает семейная жизнь на каждого из вас. Создание семьи — серьезный, ответственный шаг. Сделайте все для того, чтобы создать счастливую семью, чтобы уметь удовлетворять ее потребности, воспитывать детей, обеспечивая им счастливую жизнь в будущем.

70

Предпочитайте количеству качество. Это правило применимо ко всем жизненным ситуациям. Предпочтительнее, чтобы в монастыре было меньше монахов, но чтобы они относились к жизни серьезно. В школе важно не большое количество учеников, а качество образования. В семье важно не большое количество детей, а высокий уровень их физического и нравственного совершенства.

РАЗМЫШЛЕНИЯ О БЕЗБРАЧИИ

71

Существуют различные типы одиноких людей, по-разному относящиеся к собственному безбрачию. Монахи, давшие обет безбрачия, и миряне, не сумевшие найти себе спутника жизни. Люди, пренебрегающие узами брака преднамеренно и обреченные на одиночество помимо своей воли. Люди, довольствующиеся своим холостым положением, — и те, кто страдает от собственного одиночества.

72

Жизнь вдвоем дает неоспоримые преимущества, но одновременно и создает целый круг проблем. Брак обязывает каждого из супругов посвящать значительную часть времени своему избраннику, детям, если в семье уже есть потомство, упорно работать, дабы быть готовым к значительным и постоянно возрастающим денежным расходам, поддерживать родственные отношения с членами семьи другого супруга.

73

Потребности людей, живущих одинокой жизнью, чаще всего отличаются скромностью. Им необходимо думать о наполнении лишь одного — своего собственного — желудка. Груз ответственности, лежащий на них, несоизмеримо легче, чем у людей семейных. Одинокие люди вольны делать все, что им угодно. Если они находятся в поиске или уже избрали для себя путь духовного развития, с которым решили связать всю свою жизнь, — они вольны продолжать свой поиск в том направлении, в котором их влечет собственное устремление. Все, что им нужно, — это лишь собрать скарб, необходимый для того, чтобы провести свою оставшуюся жизнь там, где они хотели бы жить. Воздержание от брачных уз может быть полезным шагом в той мере, в какой оно дарует человеку больше истинной свободы выбора, позволяющей отдавать все свои силы тому занятию, которому он желает посвятить свою жизнь.

74

Некоторые мужчины остаются по жизни одинокими, даже несмотря на свои отчаянные попытки найти себе подругу. Некоторые женщины горят желанием встретить спутника жизни, — но так и не находят способа осуществить свою мечту. Их проблема коренится чаще всего в их излишней замкнутости в себе и слишком высокой требовательности к окружающим. Если они с течением времени постепенно смогут изменить свое отношение на противоположное, став более чуткими к окружающим и менее сосредоточенными на своих собственных проблемах, — то они, несомненно, вызовут у окружающих ответную положительную реакцию.

РАЗМЫШЛЕНИЯ
ОБ ОБЩЕСТВЕННОЙ ЖИЗНИ

75

По моему убеждению, если общественная жизнь основана на принципе доброй воли — это прекрасно. Такая жизнь оправданна, ибо люди от рождения зависят друг от друга. Жизнь сообща в какой-то мере сродни жизни в большой семье, принципы которой отвечают всем нашим запросам.

76

Мы примыкаем к той или иной общности, обнаруживая те или иные присущие ей достоинства. Мы стремимся трудиться сообща. Каждый изо дня в день выполняет возложенные на него обязанности и вносит, таким образом, свой вклад в общие усилия. Мне кажется, что такое решение вполне разумно.

77

В любом сообществе неизбежно возникают столкновения противоположных мнений. Я считаю такое явление благоприятным. Сталкиваясь с большим разнообразием мнений, мы получаем больше возможностей открыть в мироощущении других что-то новое для себя и приблизиться к собственному совершенству. Если мы вступаем в конфликт с теми, чей образ мышления не совпадает с нашим, мы лишь сами себе осложняем жизнь. Не будем же замыкаться в мире наших собственных суждений. Давайте открыто и доверительно общаться друг с другом. Так мы сможем сравнивать различные мнения и формулировать собственные новые суждения.

Повсеместно — как в семье, так и в рамках какой-либо иной социальной группы, важно уметь поддерживать диалог. С самого детства, почувствовав, что конфликт назревает, необходимо избегать поспешных отрицательных суждений вроде: «Как бы мне поскорее отделаться от этого типа?» Не спрашивая себя, чем мы можем быть ему полезны, по меньшей мере, научимся прислушиваться к тому, что он хочет сказать нам. Усвоим эту привычку. Если вспыхивает ссора — неважно, в школе ли, в семье ли — будем стремиться прежде всего вступить в диалог и попытаемся воспользоваться представившейся возможностью обмена мнениями для того, чтобы найти наилучшее решение.

Мы склонны думать, что выражать свое несогласие с кем-либо неизбежно означает — провоцировать конфликт, заканчивающийся обычно победой одного и поражением другого, ощущающего себя уязвленным в своей гордости. Постараемся же избегать смотреть на вещи под таким углом зрения. Будем стремиться искать возможности достичь взаимного примирения. Главное — с самого начала не пренебрегать мнением другого. Это самый простой и доступный каждому способ предупредить конфликтную ситуацию.

РАЗМЫШЛЕНИЯ О ЖИЗНИ В ИЗОБИЛИИ

80

Когда я сталкиваюсь с богатыми людьми, я им обычно говорю, что, согласно заповедям Будды, богатство является хорошим знаком. Ведь оно является несомненной заслугой, доказательством прежней щедрости. Тем не менее богатство не является признаком счастья. Если бы богатство вело к счастью, то это неминуемо означало бы, что мы становимся все более и более счастливыми по мере того, как увеличивается наше состояние.

С точки зрения выдающихся личностных качеств богатые люди ничем особо не отличаются от остальных. Даже обладая огромным состоянием, они не могут быть прожорливее других, ибо располагают единственным желудком. На их руках нет лишних пальцев для того, чтобы унизывать их золотыми кольцами. Конечно, богатые могут позволить себе пить наиболее изысканные, наиболее дорогие вина и напитки, быть более прихотливыми в еде. К несчастью, таким образом, они лишь зачастую вредят собственному здоровью. Многие из тех, кто пренебрегает физическим трудом, вынуждены тратить силы на физические упражнения из опасения набрать вес или навредить здоровью. Впрочем, и я не уделяю достаточного времени ходьбе и вынужден каждый день давать себе дополнительную нагрузку, катаясь на велосипеде по двору! Честное слово, ради этого совсем не стоит быть богатым!

Конечно, есть что-то возбуждающее в том, чтобы сказать себе: «Я богат!» Это придает жизненных сил, добавляет веса в обществе, помогая создать для себя привлекательный образ. Но разве все это сравнимо в действительности с потрясением, связанным с внезапным обретением богатства и стремлением к его приумножению? Осознанием и стремлением показать свое превосходство в семье и в обществе мы вызываем лишь зависть и презрение окружающих нас людей. Мы ощущаем постоянное беспокойство, вынуждены постоянно быть начеку.

По моему разумению, единственный положительный момент в том, чтобы быть богатым, — это обретение возможности по-настоящему помогать другим. Наша роль в общественной жизни становится более значимой, возрастает наш авторитет. Вдохновляясь хорошими мыслями, возможно совершить столько добрых поступков! И, напротив, будучи одержимым дурными мыслями, человек способен творить лишь бесконечное зло.

Я не устаю повторять, что мы ответственны за нашу Землю. Если, например, имея возможность, благодаря нашему богатству, принести какую-нибудь пользу, мы ничего для этого не делаем, — то это лишь говорит о нашей безответственности.

84

Мы каждый день принимаем пищу, приготовленную из того, что выращивают другие, и пользуемся всевозможными удобствами, созданными для нас другими. Давайте же в свою очередь помогать другим с того самого момента, когда получаем возможность самостоятельно заработать себе на жизнь. Нет ничего более печального, чем, проводя свою жизнь в роскоши, не способствовать благополучию тех, чьи возможности сделать себя счастливыми ограниченны по сравнению с нашими.

Есть люди, чей удел — крайняя нищета. Некоторые лишены возможностей добывать себе пропитание, некоторые не имеют крыши над головой — не говоря уж о возможности получить образование и медицинскую помощь. Если мы богаты и интересуемся только собственным благосостоянием, на что же приходится рассчитывать тем, чьи условия жизни поистине ужасны? Что могут подумать люди, работающие с утра до вечера, не получая почти ничего за свой труд, когда они видят, что другие живут в довольстве, не прилагая для этого никаких усилий? Не даем ли мы оснований работающим людям для ревности и злобы? Не подталкиваем ли мы их сами к ненависти и жестокости?

Если у вас много денег, то лучший способ их вложения — это помощь бедным и страждущим. В конечном счете, речь идет о том, чтобы сделать жителей Земли более счастливыми, предлагая способ возможного решения их проблем. Помогать бедным — это не только давать им деньги. Это значит прежде всего — открыть им доступ к образованию и медицинской помощи, дать им возможность самим обеспечивать собственные нужды.

87

Иными словами, жизнь в довольстве лишь для себя лишена всякого смысла. Чем всю жизнь тратить свое состояние на ненужную роскошь, — лучше заставьте его служить другим. Если вам доставляет удовольствие кичиться вашей собственной состоятельностью или проигрывать огромные суммы, — при условии, если эти деньги по праву принадлежат вам и если при этом вы не причиняете ущерба другим, — в этом нет ничего предосудительного. Но знайте, что таким способом вы лишь обманываете сами себя и напрасно прожигаете жизнь.

88

Даже будучи богатым, не теряйте в то же время осознания того, что вы являетесь представителем рода человеческого и что, с этой точки зрения, вы ничем не отличаетесь от бедняка: вам необходимо духовное богатство, приносящее истинное счастье — а это счастье нельзя купить ни за какие деньги.

89

В настоящее время неумолимо продолжает расширяться пропасть между богатыми и бедными. За последние двадцать лет по меньшей мере пятьсот человек смогли стать владельцами состояний, исчисляемых миллионами долларов. В 1982 году такими миллионерами были лишь двенадцать человек. Среди них более сотни — выходцы из Азии. Обычно принято считать Азию достаточно бедной. Но в то же время количество людей, живущих за чертой бедности в Европе и Америке, огромно. Таким образом, это явление противостояния богатства и бедности выходит далеко за рамки противопоставления — Восток—Запад.

90

Знаковые идеологические течения, такие, как коммунизм, потерпели полный провал при попытке насильственно заставить богатых отказаться от своего состояния на пользу общего блага. Сегодня людям необходимо самим осознать необходимость разделения своего блага с другими. Разумеется, это требует коренного пересмотра всей системы моральных ценностей, глубокого самосовершенствования.

По большому счету богатые ничего не выиграют за счет ухудшения ситуации в мире. Они неизбежно столкнутся с озлоблением бедных и будут вынуждены жить все в более и более возрастающем страхе, как это уже произошло в некоторых странах. Общество, в котором чрезвычайно сильно разделение между богатыми и бедными, само неизбежно порождает проявления жестокости, рост преступности, разжигает гражданскую войну. Ее поджигателям не составит труда привлечь на свою сторону представителей самых малообеспеченных социальных слоев лишь с помощью уверений, что отстаивают их интересы. Это может породить многочисленные проявления недовольства.

Если вы богаты и при этом помогаете бедным вокруг вас, если благодаря вам они имеют возможность поддерживать себя в добром здравии, совершенствовать свои знания и развивать свои природные способности, то эти люди в свою очередь будут вам благодарны и ответят вам взаимностью. Вы сможете стать им другом, даже будучи богатым. Они будут довольны, вы тоже. Вы не верите? Если с вами случится несчастье, они будут сочувствовать вам. Если же, напротив, вы замкнетесь в безграничной любви к самому себе и не захотите поделиться с другими, то они возненавидят вас и будут наслаждаться вашими страданиями. Все мы являемся общественными созданиями. И если окружение относится к нам дружелюбно, то мы естественным образом проникнемся к нему большим доверием и станем счастливее.

РАЗМЫШЛЕНИЯ О ЖИЗНИ В БЕДНОСТИ

93

Материальные затруднения не должны мешать нам предаваться достойным мыслям. Действительно, размышления о путях собственного духовного совершенствования более важны, чем обладание богатством. Вот почему необходимо осознать, что с того самого момента, как сформировался человеческий мозг и человеческое тело, даже живя в бедности, мы являемся обладателями главного. Поэтому нет никаких оснований для отчаяния или недовольства собой.

94

В Индии я неустанно говорю людям, принадлежащим к низшей касте, вынужденным постоянно отстаивать свои права, что мы все являемся представителями рода человеческого, что нам от природы даны равные возможности. Поэтому им не следует отчаиваться из-за осознания своей бедности и чувства ущемленности по сравнению с представителями других, высших каст.

95

Бесполезно озлобляться или ожесточенно противостоять богатым. Конечно, богатые должны считаться с бедными и бедняки имеют право защитить себя, если почувствуют свою ущемленность. Но сознательное воспитание в себе ревности или зависти не приведет ни к чему. Если мы сами хотим обладать богатством, то лучше в меру своих возможностей посвятить себя духовному совершенствованию, чем, будучи одержимым нетерпимостью, испытывать чувство зависти, не в силах что-либо предпринять. Прежде всего необходимо обрести возможность самому крепко держаться на ногах.

Я постоянно думаю о тысячах тибетцев, нашедших свое прибежище в Индии после моего изгнания. Они потеряли все, даже свою родину, оказавшись в большинстве своем без средств к существованию, лишив себя элементарных удобств и медицинской помощи. Им пришлось начать и обустраивать свою жизнь «с нуля», в чрезвычайно сложных условиях, не имея в своем распоряжении ничего, кроме палаток, чтобы укрыться от жары и ветра. Они были вынуждены осваивать единственные оставшиеся им для жизни районы джунглей, и сотнями умирали от болезней, неизвестных в Тибете. Тем не менее лишь единицы впали в уныние, а в целом им удалось с завидной стремительностью преодолеть трудности и вновь обрести радость жизни. Это говорит о том, что, сохраняя положительное отношение к жизни, можно быть счастливым даже в самых неблагоприятных условиях. Напротив, если нас одолевают внутренние терзания, то мы льстим себе, думая, что удобства и богатство способны принести нам счастье.

Конечно, каждый волен объяснять свои материальные затруднения духовной бедностью. Но тем не менее предпочтительнее поддерживать в себе положительное начало. В очередной раз повторю, что стремление к духовному совершенствованию не означает, что не нужно прилагать усилий для преодоления собственной бедности. Если вы считаете себя жертвой общественной несправедливости, то в ваших силах бороться за ваши права и торжество истины. Это очень важно. В демократических обществах придается немаловажное значение тому, что все мы подчиняемся единым законам. Тем не менее всегда стремитесь сохранять объективность и искренность суждений.

РАЗМЫШЛЕНИЯ О БОЛЕЗНИ

98

Медицина в наше время достигает больших успехов. Но, как и в процессе выздоровления, в предупреждении болезни определяющую роль играет духовный настрой. Это очевидно.

Наше тело и наш разум тесно взаимосвязаны и существенно влияют друг на друга. Поэтому никогда не теряйте надежды, как бы серьезна ни была ваша болезнь. Уверяйте себя, что против любой болезни обязательно есть средство, что у вас есть все возможности для выздоровления.

99

В каком бы состоянии вы ни находились, помните, что нравственные терзания не приводят ни к чему хорошему, лишь добавляя страдания к страданию. Я часто привожу очень полезное высказывание индийского мудреца Шантидевы, который в общих чертах говорил о том, что если есть лекарство, то вам не о чем беспокоиться. Вам достаточно принять его. Если же лекарства нет, то к чему беспокойство? Беспокойство лишь усугубляет страдания.

100

Предупреждение болезни является лучшим лечением. Болезнь чаще всего коренится в питании и повседневных привычках. Многие склонны к злоупотреблению алкогольными напитками и табаком. Ради получения ничтожного и временного удовольствия от их вкуса и крепости приносится в жертву собственное здоровье. Некоторые заболевают от переедания. Я знаю приверженцев буддизма, придерживающихся принципа умеренности, которым удается сохранить отличное здоровье во время уединения в горах. Как только они возвращаются, спускаясь с гор для встречи с членами своей семьи или друзьями на Новый год или по случаю других праздников, они тут же теряют контроль над своим аппетитом и от этого заболевают. (*Шутка.*)

101

Будда говорил своим последователям, что, если они не будут достаточно питаться, они доведут свое тело до изможения, а значит — совершат грех. Но Будда также говорил, что, ведя неумеренный образ жизни, можно обесценить собственные заслуги[1]. Таким образом, он настоятельно советовал нам смирять наши желания,

---

[1] Под заслугами в буддизме понимаются благостные поступки и положительная энергетика, с помощью которой они воздействуют на поток нашего сознания. Эта энергетика, в свою очередь, непосредственно или опосредованно, в зависимости от того, сопряжена ли она с отрицательными или положительными переживаниями, порождает духовный настрой, способствующий ощущению счастья, а также, благодаря системе взаимозависимостей, материальные блага — здоровье, богатство и прочее.

довольствоваться тем, что имеем, посвящать свою жизнь духовному совершенствованию, — и в то же время оставаться в добром здравии. Предаваясь чревоугодию или доводя себя до полного истощения, мы, в конце концов, неизбежно приобретаем болезнь. Так будем же стараться в нашей повседневной жизни избегать крайностей.

РАЗМЫШЛЕНИЯ О НЕМОЩНЫХ И О ТЕХ, КТО О НИХ ЗАБОТИТСЯ

102

Если вы имеете какой-либо физический недостаток, постарайтесь убедить себя в том, что по нашей глубинной сути мы ничем не отличаемся друг от друга. Даже если некоторые из ваших чувств утрачены, интеллектуальные возможности вашего разума ничем не отличаются от мыслительной активности всех остальных. Не отчаивайтесь, постарайтесь обрести внутреннюю уверенность. Ведь вы — представитель человеческого рода, наделенный способностью к самореализации в жизни.

Однажды я посетил школу для немых. На первый взгляд, эти дети были неспособны к полноценному общению. В действительности же они лишь использовали другие средства коммуникации и могли учиться так же хорошо, как и все остальные. В наши дни даже незрячие могут читать и писать при помощи специальных приспособлений. Иногда среди незрячих людей можно встретить даже писателей. Мне приходилось видеть по телевидению человека без обеих рук, который при письме пользовался ногами. Он выводил буквы хотя и медленно, но довольно отчетливо.

103

Что бы ни случилось, никогда не падайте духом. Тот, кто постоянно говорит сам себе: «У меня все получится», в конце концов, достигнет своей цели. Если же вы внушаете себе: «Это невозможно, я на это не способен, у меня никогда ничего не получится», — то вы сами себя обрекаете на неудачу. Как говорит тибетская поговорка: «Не имея сил противостоять унынию, невозможно победить нищету».

104

Появление на свет ребенка-инвалида всегда влечет за собой горестные моменты отчаяния и беспокойства для отца и матери, для всех остальных членов семьи. Однако, если взглянуть с другой точки зрения, возможность взять на себя заботу о ближнем является источником счастья и удовлетворения. В буддистских текстах можно прочесть, что больные и немощные, неспособные защитить себя люди достойны особой любви. И чем больше мы им помогаем, тем явственнее мы ощущаем истинное духовное удовлетворение от приносимой нами пользы.

105

Вообще, помощь другим является лучшим видом деятельности. Если оказывается, что в вашем доме, рядом с вами живет полностью беспомощный, беззащитный человек-инвалид, подумайте о том, что, может быть, вам дарована свыше единственная возможность, и с радостью предложите этому беспомощному существу свое участие. Вы совершите прекраснейший поступок.

Если же вы отнесетесь к нему как к возложенной на вас против воли тяжелой обязанности, ваш поступок не может считаться бескорыстным, и вы лишь создадите недоразумение, которого можно было бы избежать.

РАЗМЫШЛЕНИЯ ОБ УМИРАЮЩИХ И О ТЕХ, КТО ПРОВОЖАЕТ ИХ В ПОСЛЕДНИЙ ПУТЬ

106

Смерть — поворотный момент нашей жизни, и к нему необходимо быть готовым. Подумаем о его неотвратимости. Отдадим себе отчет в том, что смерть — неотъемлемый этап жизненного пути, обязательно имеющего начало и конец. Все стремления избежать его обречены на неудачу.

Если эта мысль заложена в нас с самого раннего возраста, то приближение смерти не будет нам казаться необычным явлением, противоречащим нормальному ходу вещей. Мы будем всячески стремиться встретить наш смертный час достойно.

107

Не подлежит сомнению, что большинство из нас не допускают даже мысли о неизбежности собственной смерти. Мы проводим большую часть нашей жизни в стремлении к обладанию бесчисленными благами, строим бесконечные планы на будущее так, словно нам суждено жить вечно, как будто усомнившись в том, что в один прекрасный день, быть может, даже завтра, а может, уже в следующее мгновение, нам суждено уйти безвозвратно, оставив все в прошлом.

108

Согласно постулатам буддизма, очень важно уже сегодня научиться встретить свой смертный час достойно. По мере угасания основных жизненных функций дух освобождается от грубой телесной оболочки, и проявляется энергия высшего разума, не нуждающегося ни в какой физической поддержке, даруя исцеленному посвященному единственную возможность достичь духовного просветления. Именно поэтому, в частности, в тантрах[1], можно найти многочисленные описания способов медитации, приготовляющих к смерти.

109

Если вы исповедуете какую-либо религию, то в смертный час обратитесь к вашей вере и молитесь. Если вы веруете в Бога, то признайтесь себе, что, как бы печально ни было осознавать, что жизнь кончена, у Бога есть на то свои основания, в этом есть нечто сокровенное, смысл которого вам не дано понять. Это, несомненно, послужит вам поддержкой.

---

[1] *Тантры* — в буддистской традиции основополагающие духовные тексты Ваджраяны.

110

Если вы исповедуете буддизм и верите в перерождения, то смерть воспринимается лишь как
смена телесной оболочки. Таким же образом
мы меняем одежду, надевая новое платье тогда,
когда старое износилось. Когда ваша физическая
сущность в силу ряда внешних и внутренних
причин становится неспособной поддерживать
свое существование, — настал момент покинуть
старую материальную оболочку и обрести новое
естество. С этой точки зрения смерть не означает прекращения жизни.

111

Рассуждая о природе нематериального, нужно
постоянно отдавать себе отчет в наличии двух
уровней. Первый уровень — примитивный, зри-
мый и очевидный: конец жизни или события. Но
сущность нематериального, которую доносят
до нас Четыре Достойных Откровения, более
тонка — речь идет о преходящем характере существования.

112

Основываясь на рассуждениях, дающих лишь самое грубое, поверхностное представление о нематериальном, мы поневоле вынуждены рассматривать наше настоящее как нечто, представляющее ценность, исходя лишь из ощущения длительности нашей собственной жизни. Но, лишь попытавшись побороть эту одержимость настоящим, мы сможем в полной мере познать, насколько важно прилагать усилия для того, чтобы обеспечить себе достойную жизнь в будущем.

113

Для верующего человека, независимо от того, признает он перерождения или нет, важно в момент физической смерти побороть в себе мысли, навязываемые материальным сознанием, явственно взывая в глубине души к Богу или проникаясь иным положительным духовным настроем. Необходимо поддерживать в себе ясность рассудка, избегая того, что способно нарушить это состояние. Однако, если умирающий испытывает тяжкие страдания и ничто не способно внушить ему благостное состояние духа, лучше было бы, чтобы он не осознавал этого. В этом случае облегчению его страданий помогут успокаивающие или вызывающие эйфорию вещества.

114

Для людей, не разделяющих никаких религиозных воззрений и не придерживающихся предопределенного духовного пути, чей образ мышления далек от религиозного видения мира, в момент смерти важнее всего сохранять спокойствие, умиротворенность и ясное осознание того, что смерть является естественным процессом, составляющим определенный этап жизненного пути[1].

---

[1] Этот совет может показаться необоснованным. В конце концов, для человека, не придерживающегося никакой веры, свойственно отождествлять смерть с небытием. Но

Если вы присутствуете при последних мгновениях жизни умирающего, то постарайтесь по возможности проникнуться особенностями его личности, принять в расчет природу его болезни, его приверженность или неприятие религиозных воззрений, идеи перерождения, и всеми силами старайтесь не принимать мер к прекращению его жизни. Сделайте все для того, чтобы помочь ему обрести умиротворение, создав вокруг больного спокойную обстановку. Если вы возбуждены, то рассудок больного воспримет одержимость противоречивыми мыслями, от-

_____

для Далай-Ламы, как последователя буддизма, представляется непостижимым, чтобы дух, по природе своей нематериальная субстанция, мог исчезнуть только потому, что материальное тело прекратило свое существование. Ибо природа материального и духовного различна. Дух продолжает свое восхождение к состоянию, промежуточному между смертью и возрождением, затем обретает новую телесную оболочку, на которую оказали влияние прошлые поступки умершего и состояние его духа в момент смерти. Именно поэтому на следующей странице Далай-Лама говорит о «нежелательных последствиях, которыми чревато для человека состояние душевной неумиротворенности в момент смерти».

чего человек будет ощущать себя некомфортно. С точки зрения канонов буддизма, старайтесь по возможности избегать любых переживаний, способных сообщить умирающему отрицательный духовный настрой.

116

Если вы исповедуете ту же веру, что и умирающий, то напомните ему об отправлении традиционных обрядов или же помогите ему укрепиться в вере. В смертный час его сознание помрачается. Поэтому бесполезно стремиться приобщить человека, находящегося на грани жизни и смерти, к каким-либо новым, непривычным ему духовным практикам или религиозным обрядам. В момент осознания умирающим окончательного распада связи между духом и собственной телесной оболочкой, — по мере перехода в стадию приобщения к высшему знанию, — единственным действенным способом помощи может стать внушение умирающему необходимости обращения к его собственному духовному опыту и стремление к созданию у него положительного душевного настроя.

Когда больной находится в коматозном состоянии и единственным признаком теплящейся в нем жизни служит лишь слабое поверхностное дыхание, если вывести умирающего из бессознательного состояния уже не представляется возможным, то необходимо действовать в зависимости от ситуации. Если его семья зажиточна и умирающий дорог своим домочадцам настолько, что ради спасения его жизни они готовы на все, — в один прекрасный день важно найти в себе мужество решиться на такой шаг. Даже если он не принесет никакой пользы умирающему, — это поможет исполнить волю любящих его людей.

Хотя буддистская традиция благоволит к стремлению избавить умирающего от страданий, тем не менее такое стремление оказывается бесплодным в случае, если причина страданий умирающего кроется в нем самом.

РАЗМЫШЛЕНИЯ О ТРУДЕ И НЕХВАТКЕ СВОБОДНОГО ВРЕМЕНИ

119

Некоторых из своих друзей я называю рабами денег. Не давая себе ни минуты отдыха, они непрерывно колесят по свету, «крутятся как белка в колесе», постоянно разъезжая по Японии, Соединенным Штатам, Корее, пренебрегая возможностью взять отпуск.

Конечно, этим людям можно лишь позавидовать, если их активность направлена на благо других или на благо страны. Те, кто ставят перед собой достойную цель и готовы работать день и ночь не покладая рук для ее достижения, достойны наших похвал. Но и в этом случае нелишне будет время от времени позволять себе небольшой отдых, дабы позаботиться о собственном здоровье. Лучше потратить на выполнение возложенной на вас работы больше времени, работать в умеренном темпе, чем предпринимать значительные изнуряющие, но тщетные усилия.

120

Если такая бешеная активность преследует лишь цель удовлетворения личных амбиций, в конце концов приводя к полному изнеможению или подрыву здоровья, — это все равно что сознательно беспричинно вредить себе.

РАЗМЫШЛЕНИЯ О МЕСТАХ ЗАКЛЮЧЕНИЯ И ЗАКЛЮЧЕННЫХ

121

В большинстве случаев люди, совершившие какой-либо противоправный поступок, присуждаются к тюремному заключению и изоляции от общества. Они рассматриваются как ненужные элементы общественной системы — общество отвернулось от них. Не имея никакой возможности совершенствовать себя или начать новую жизнь, они вымещают свою жестокость на других заключенных, бросая свою силу на подавление самых слабых. В таких условиях нет никакой возможности для признания ими собственной вины и самосовершенствования.

122

Я часто думаю о том, что когда во время военных действий полководец жертвует жизнями тысяч людей, то его называют героем. Его подвиги кажутся необычайными, ему поют славословия. Но если какое-либо абсолютно обездоленное существо убивает кого-либо, то такого человека называют убийцей, заключают в тюрьму, даже приговаривают к смертной казни.

123

Есть люди, присваивающие себе значительные денежные суммы, к которым благоволит закон. Другие решаются украсть несколько купюр от отчаяния, — и за это их в наручниках сопровождают в тюрьму.

124

В действительности мы все являемся потенциальными преступниками, и те, кого мы осуждаем на тюремное заключение, по сути, не хуже всех остальных. Они пали жертвой неведения, слепого желания, минутного гнева, болезней, от которых, впрочем, никто из нас не застрахован, — только это падение выражено в разной степени. Наш долг — помочь им вернуться к нормальной жизни.

125

Со своей стороны, общество не должно отворачиваться от того, кто совершил проступок и которого принято считать преступником. Ведь он — такое же, как мы, человеческое существо, как и мы, являющееся частью общества и тоже способное к развитию. Такому человеку просто необходимо помочь обрести надежду и желание направить свою жизнь в новое русло.

126

В Индии я посетил тюрьму Дели-Тихар, где женщина-надзиратель по имени Кириян Беди с большой заботой относится к заключенным. Она стала для них своего рода духовной наставницей, учит их искусству медитации и возможности обрести душевное равновесие, способное избавить их от чувства вины. Заключенные счастливы видеть, что их любят и что о них заботятся. Некоторое время спустя, даже еще во время своего пребывания в тюрьме, они становятся уравновешенными, способными к принятию человеческих ценностей, к жизни в обществе. Для меня это прекрасный пример того, как следует поступать.

127

Особенно тяжело положение юных правонарушителей. Во-первых, из-за огромного количества едва начавшихся и уже отравленных пороком жизней. Во-вторых, потому, что вина этой трагедии — чаще всего отсутствие жизненного опыта в сложном общественном окружении в тот момент, когда человеку еще не свойственно задумываться над своим поведением в самостоятельной взрослой жизни.

128

Главный совет, который я хотел бы дать несовершеннолетним правонарушителям и всем заключенным, — никогда не отчаивайтесь, не теряйте надежды на самосовершенствование. Всегда говорите себе: «Я готов признать свою ошибку, я буду стараться исправиться, я постараюсь поступать правильно, дабы стать полезным другим». Мы все способны изменить себя. У нас всех одинаковый мозг, наши возможности равны. Мы никогда не можем утверждать, что для нас нет надежды — разве что по неведению или под влиянием сиюминутного заблуждения.

Бедные узники! Их подтолкнул на преступление внезапно свалившийся на них груз отрицательных переживаний, — и вот теперь они отвергнуты обществом, не оставившим ничего, на что они могли бы надеяться в этой жизни.

РАЗМЫШЛЕНИЯ О ГОМОСЕКСУАЛИЗМЕ

Многие спрашивают меня, что я думаю о гомосексуализме. Если вы — человек верующий, то необходимо решать, как вам следует или как вам не следует поступать, исходя из канонов вашей веры. Некоторые христиане считают гомосексуализм страшным грехом, другие — нет. Некоторые из приверженцев буддизма относятся к нему терпимо, тогда как некоторые считают, что приверженность нетрадиционной сексуальной ориентации, по сути, несовместима с исповеданием буддизма. Согласно каноническим буддистским текстам, существует десять предосудительных поступков, от совершения которых следует воздерживаться, среди которых и склонность к беспорядочной половой жизни[1]. Последняя,

---

[1] Девять других суть: убийство, кража, разбой, ложь, сквернословие, несоответствие слова и дела, похоть, пренебрежение и предвзятость.

по сути, означает вступление в сексуальную связь на стороне, но может включать также и склонность к гомосексуализму, оральному или анальному сексу и мастурбации. Это не означает, что подобные поступки противоречат канонам буддизма. Кроме предвзятости — то есть представления, ставящего под сомнение существование Будды или законов предопределенности, — больше ни один из десяти предосудительных поступков не может помешать нам исповедовать буддизм.

131

Я не осужу вас, если вы, не придерживаясь религиозных взглядов, склонны вступать в сексуальные отношения с партнером того же пола на основе взаимного согласия, непричинения друг другу зла или страдания, испытывая при этом полноценное сексуальное удовлетворение. Мне представляется важным отметить, что враждебное отношение общества к сторонникам однополой любви, лишение их рабочего места или какие-либо иные санкции по отношению к ним необоснованны. Таких людей нельзя считать преступниками и обращаться с ними, как с представителями преступного сообщества.

132

Я полагаю, что, согласно буддистской традиции, по отношению к некоторым духовным наставникам, склонность к гомосексуализму можно рассматривать скорее как заблуждение, ибо она сама по себе не опасна, по сравнению со склонностью к изнасилованию, убийству или другим аморальным поступкам, являющимся источником страдания другого. То же самое касается и мастурбации. Поэтому нет никакой причины для враждебного или пренебрежительного отношения к сторонникам гомосексуализма.

Добавлю, что не в меньшей степени несправедливо постоянно стремиться дискредитировать религии, которые отрицательно относятся к проявлениям сексуальной несдержанности лишь потому, что такое поведение противоречит нашему образу мышления или нашим способам ее проявления. Прежде чем критиковать тот или иной устой, нелишне было бы попытаться понять истинные причины его возникновения.

ЧАСТЬ ТРЕТЬЯ

РАЗМЫШЛЕНИЯ ОБ ОБЩЕСТВЕННОЙ ЖИЗНИ

РАЗМЫШЛЕНИЯ О ПОЛИТИКЕ

133

Стремясь снискать уважение и поддержку избирателей, политические деятели часто склонны давать многочисленные обещания. «Я обязуюсь сделать это и это, вот увидите». Но если они действительно стремятся заслужить авторитет и доверие, то для них наиболее важно, как мне представляется, быть порядочными людьми и открыто выражать свои убеждения.

134

Если мы говорим то одно, то другое в зависимости от меняющихся обстоятельств, то люди осознают это и помнят об этом. «Один раз он сказал так, а теперь он говорит иначе. Так где же истина?» Искренность — вот основное качество политического деятеля. В наши дни, особенно в условиях, когда средства массовой информации все более и более падки на обращение к словам и поступкам известных людей, — еще большее значение, чем когда-либо прежде, приобретает стремление придерживаться своих искренних убеждений и открыто выражать их, вне зависимости от внешних обстоятельств.

135

Если мы всегда говорим то, что думаем, те, кто разделяет наши убеждения, оценят нашу искренность и разделят наши взгляды. Если, напротив, мы настроены оппортунистически, произносим множество обещаний перед средствами массовой информации — а, будучи избранными, больше не придаем никакого значения тому, что сами говорили, — то это плохой способ действий. Это не только безнравственно, но и опрометчиво с чисто практической точки зрения. В рамках следующей избирательной кампании такое наше поведение обернется против нас. Так зачем же затрачивать столько усилий ради того, чтобы быть избранным один-единственный раз?

136

Оказавшись у власти, необходимо с предельным вниманием относиться не только к собственным поступкам, но и к собственному образу мышления. Если мы занимаем пост президента, министра или другую должность среди властей предержащих, то нам льстит постоянное ощущение себя в центре внимания, бесчисленные оказываемые нам почести, знаки внимания, осознание безграничной силы нашего влияния. Именно тогда, если мы не хотим упустить из поля зрения наше истинное предназначение, от нас и требуется наивысшая сознательность в строе нашего мышления и последовательность убеждений. Чем многочисленнее армия телохранителей вокруг нас, тем в большей степени надо заботиться об охране свободы собственного духа.

Есть люди, которые в период предвыборной кампании руководствуются вполне благими намерениями. Но, едва добившись избрания на заветную должность, они словно становятся одержимыми идеей собственной значимости, подчас совершенно забывая о заявленной цели своего прихода к власти. Они полны сознания собственной непогрешимости, защищая интересы избирателей, отдавая себе отчет в крайней значимости возложенной на них миссии. Они считают, что взамен они могут позволить себе некоторые слабости, полную свободу действий, в надежде на вседозволенность и полную безнаказанность. Даже совершая предосудительные поступки, они оправдываются тем, что совершенный единичный проступок не так уж серьезен, учитывая их преданность возложенному на них долгу. Таким образом, они легко позволяют подкупить себя. Обладая силой влияния и властью, нам необходимо удвоить собственную бдительность.

138

В наши дни людям свойственно испытывать недоверие к политикам. Это печально. Они утверждают, что политика — грязное дело. В действительности же в самой по себе политике нет никакой грязи. Грязным делом политика становится по вине людей. Также ошибочным было бы утверждать, что религия изначально порочна. Ее делают таковой некоторые недобросовестные священнослужители, искажая истинное предназначение религии и злоупотребляя доверием других. Политика становится грязной тогда, когда политические деятели ведут себя безнравственно. При этом проигрывают все, так как без политиков не обойтись. В частности, в демократических обществах важно обеспечить функционирование многопартийной системы, основанной на противоборстве правящих и оппозиционных партий. А для этого необходимы политические деятели и партии, достойные уважения.

В оправдание политических деятелей было бы справедливым заметить, что они являются необходимым порождением любого общества. Если общество озабочено лишь стремлением к обладанию денежными богатствами и властью, пренебрегая нравственностью, то не стоит удивляться продажности правящих им государственных мужей, а тем более пытаться целиком возложить на них ответственность за создавшееся положение в обществе.

РАЗМЫШЛЕНИЯ
О ПРАВОСУДИИ

140

Любое общество неизбежно диктует каждому его члену необходимость подчинения некоторым правилам. Те, кто совершает преступления или другие опасные деяния, должны нести наказание, а те, которые ведут себя достойно, — вправе рассчитывать на поощрения. Наладить правильное функционирование системы возможно лишь с помощью законодательных актов и людей, ответственных за их исполнение. Если последние, на которых возложены обязанности хранителей справедливости и общественных благ, сами по себе непорядочны, легко соглашаются на подкуп, — то и общественная система будет несправедливой. Не слишком ли часто в некоторых странах мы сталкиваемся с безнаказанностью богатых и наделенных силой влияния людей, легко выигрывающих любые тяжбы, в то время как менее обеспеченные вынуждены терпеть незаслуженные наказания? Это не может не вызывать опасений!

141

Вчера мне кто-то сказал, что в Соединенных Штатах судьи склонны однозначно выносить решение либо в пользу, либо против легализации абортов, не приемля какой-либо промежуточной позиции. Однако существует ощутимая разница между абортом, для которого есть серьезные показания, — например, в случае, когда матери угрожает смерть и приходится выбирать между возможностью спасения либо ее жизни, либо жизни младенца, — и абортом, связанным с тем, что рождение ребенка может расстроить планы на отпуск или помешать осуществлению запланированной покупки новой мебели. Но, с точки зрения этих судей, особой разницы между этими двумя мотивациями абортов, по всей видимости, не существует. Хорошо было бы подробно изучить эту проблему, дабы определить конкретные случаи, позволяющие с ясностью сказать — в таком-то случае аборт запрещен, а в таком-то — он является настоятельным показанием.

142

Не так давно, во время моего пребывания в Аргентине, судья спросил меня, как я отношусь к смертной казни в качестве способа восстановления справедливости. Моя позиция заключается в том, что я считаю смертную казнь неприменимой в силу множества причин и искренне хотел бы, чтобы однажды она была запрещена во всем мире раз и навсегда. В частности, потому, что это — чрезвычайно серьезная мера, исключающая для осужденного любую возможность искупить свою вину. Ведь преступник — такой же человек, как и все остальные, он может, сообразуясь с благоприятными обстоятельствами, стать лучше, так же, впрочем, как вы и я в некоторых ситуациях способны показать себя хуже, чем мы есть. Дадим ему еще одну возможность. Не будем рассматривать его как существо, приносящее исключительно вред, как изгоя, от которого необходимо избавиться любой ценой.

143

Когда наш организм одержим болезнью, — мы не уничтожаем его, мы стремимся его излечить. Так зачем же стремиться к уничтожению больных органов общества вместо того, чтобы попытаться найти способ их излечения?

144

Я в свою очередь задал судье вопрос: «Представьте себе, что два человека совершили одно и то же преступление и оба были приговорены к пожизненному тюремному заключению. Один из них холост, а у другого — несколько детей, мать которых умерла и для которых он остался единственным родителем. Если вы решите заключить в тюрьму второго, то больше некому будет позаботиться о детях. Как вы поступите в этом случае?»

Судья мне ответил, что закон требует для обоих применения одинаковой меры наказания. Забота о воспитании детей ляжет на плечи общества. Я не мог отделаться от мысли, что с точки зрения проступка вменяемого им в вину, было бы вполне логично, если бы обоим был вынесен одинаковый приговор. Но с точки зрения обстоятельств, при которых применяется эта мера наказания, разница огромна. Наказывая отца, судья также самым жестоким образом наказывал ни в чем не повинных детей, не совершивших никакого зла. Судья мне ответил, что решение подобной проблемы в законе не предусмотрено.

РАЗМЫШЛЕНИЯ О БУДУЩЕМ ЧЕЛОВЕЧЕСТВА

145

До сведения горстки людей, состоящей из представителей интеллигенции, духовного сословия, бесчисленного количества ученых мужей, доведены наиболее острые мировые проблемы: проблема сохранения окружающей среды, противодействия войнам, эпидемиям голода, болезням огромного числа населения, проблема непреодолимой пропасти, во все времена существовавшей между уровнем благосостояния процветающих народов и народов, находящихся на грани выживания. Но главная проблема заключается в том, что, выразив свою точку зрения, представители этой горстки народа возложили ответственность за принятие каких-либо действенных мер на небольшое число общественных организаций. В действительности же мы все объединены чувством общей взаимной ответственности. Такая взаимная ответственность, наряду с прочим, составляет суть демократии, как мне представляется. Мы должны делать все, от нас зависящее, сообразно нашему социальному статусу, объединяться с другими, сообща обсуждать насущные проблемы, назначать ответственных за осуществление наших благих намерений, беспощадно осуждать бездарных политиков, самостоятельно выбирать представителей, способных достойно защищать наши интересы в Организации Объединенных Наций и в правительствах. Только тогда мы, несомненно, получим возможность более существенно и эффективно влиять на окружающую действительность.

146

Некоторые считают меня кем-то вроде пророка. А я лишь говорю от имени бесконечного числа людей, страдающих от бедности, от войн, от действий тех, кто наживается на торговле оружием, — от имени людей, страдающих и не имеющих возможности заявить об этом. Я всего лишь выразитель воли и чаяний всех этих людей. Я ни в коем случае не одержим стремлением к власти и не хочу противопоставлять себя всему остальному человечеству.

Конечно, отдельно взятый житель Тибета, явившийся издалека, не вправе брать на себя некую исключительную ответственность и затевать подобную битву. Это было бы глупо. В моем возрасте мне бы уже давно следовало раскланяться и уйти.

Но я остаюсь, как прежде, верен своим обязательствам и буду верен им до самой смерти, даже в том случае, если мне придется выступать перед народом, сидя в инвалидной коляске!

РАЗМЫШЛЕНИЯ О СИСТЕМЕ ОБРАЗОВАНИЯ

147

Я убежден в том, что возможность продвижения человечества по пути совершенствования или упадка в значительной степени обусловлена степенью и важностью ответственности, которая лежит на плечах воспитателей и педагогов.

148

Если вы посвятили себя педагогической деятельности, то старайтесь не просто передавать своим ученикам знания, а пробудить сознание вашего ученика для принятия основных человеческих качеств — доброты, сострадания, умения прощать и умения слушать. Но не старайтесь преподнести эти знания с точки зрения традиционной морали или канонов вероисповедания. Постарайтесь объяснить ученикам, что эти качества прежде всего необходимы для обретения счастья и просто выживания человеческого рода.

149

Обучайте ваших воспитанников искусству вести беседу, разрешать возникающие разногласия, не прибегая к жестокости; в случае возникновения спора — поинтересоваться мнением другого. Научите их избегать ограниченного и предвзятого взгляда на вещи; заботиться не только о *себе*, думать о благосостоянии не только общества, в котором *они* живут, не только *своей* страны, о процветании не только *своего* рода. Старайтесь прививать вашим воспитанникам осознание того, что все живые существа имеют одинаковые права и сталкиваются с одинаковыми нуждами. Неизменно пробуждайте в ваших учениках ощущение сопричастности ко всему миру, стремитесь показать им, что все, что бы мы ни делали, никогда не остается без последствий и неизбежно влияет на остальной мир.

150

Не ограничивайтесь лишь словесными наставлениями, а сами показывайте ученикам пример. Так ваши подопечные смогут лучше понять и воспринять то, что вы им говорите. Помните, что вы несете всестороннюю ответственность за будущее ваших воспитанников.

РАЗМЫШЛЕНИЯ О НАУЧНОМ И ТЕХНИЧЕСКОМ ПРОГРЕССЕ

151

Если в одних областях науки и техники открытия не играют решающей роли, то в других, таких, как, например, генетика или ядерная физика, применение достижений которых на практике может иметь как исключительно благоприятные, так и крайне негативные последствия, роль открытий значительна. Желательно, чтобы ученые, посвятившие себя развитию этих областей научного знания, ощущали свою ответственность за собственные эксперименты и не закрывали глаза на возможные катастрофические последствия своих научных экспериментов.

Профессионалов-специалистов чаще всего отличает узость поля зрения, недальновидность. Они особенно не стремятся рассматривать свои разработки в более широком контексте. Я совсем не хочу сказать, что их разработки плохи, но, тем не менее, посвящая все свое время углубленному изучению отдельных явлений, они подчас не оставляют себе времени для того, чтобы предаться рассуждениям о долговременных последствиях своих открытий. Я восхищаюсь Эйнштейном, который смог предвидеть возможную опасность опытов по расщеплению атомного ядра.

В своих разработках ученым всегда следует руководствоваться заповедью: «Не навреди». Я имею в виду, в частности, возможную непредсказуемость, которую несут в себе открытия в области генетики. Я ужаснусь при мысли о том, что настанет время, когда станет возможным с помощью клонирования создавать человеческие существа, единственным предназначением тела которых будет служить набором «запасных частей» для тех, кто в них нуждается-ся. Я также могу лишь осудить использование человеческих эмбрионов в исследовательских целях и, как приверженец буддизма, опыты над живыми существами и любые другие жестокие способы обращения с ними, будь то даже в научно-исследовательских целях. Как же можно отказать целой категории живых существ в праве на избавление от страданий, если мы в то же время настойчиво и в полный голос отстаиваем для себя это право?

РАЗМЫШЛЕНИЯ О ТОРГОВЛЕ И ПРЕДПРИНИМАТЕЛЬСТВЕ

154

Я всегда говорю деловым людям, что в предприимчивости, если она вдохновлена мыслью: «Я желаю отдать лучшее из того, что у меня есть, я, так же как и другие, одержим стремлением преуспеть». Напротив, для того, чтобы поделиться лучшим из того, что имеешь, невозможно помешать другим добиваться своей цели подчас самыми грязными средствами, путем обмана, поношения, а иногда даже покушения на их жизнь.

155

Подумаем о том, что наши конкуренты — такие же люди, как мы, наделенные теми же правами и испытывающие те же нужды, с которыми приходится сталкиваться и нам. Как и в случае рассуждений о зависти, подумаем над тем, что они составляют часть нашего общества. Так будем же радоваться их процветанию.

156

Единственная приемлемая тактика нападения состоит в осознании собственного достоинства и твердой решимости отдавать все свои силы избранному делу, неукоснительно руководствуясь принципом: «Я непременно сумею преуспеть. Я смогу добиться успеха, даже если в этом мне не придется рассчитывать на какую-либо постороннюю помощь».

РАЗМЫШЛЕНИЯ О ПИСАТЕЛЬСКОМ ТРУДЕ И ЖУРНАЛИСТИКЕ

157

Роль писателей и журналистов в общественной жизни значительна. Даже если человеческая жизнь коротка, то жизнь письменных свидетельств измеряется веками. В буддистской традиции мы сегодня имеем возможность познать долгие величайшие размышления о любви, о сострадании и о любви к ближнему, помогающие достичь состояния подлинного духовного Просветления, благодаря тому, что учение Будды, Шантидевы[1] и других выдающихся последователей буддизма сохранены для нас в письменной форме.

---

[1] См. примечание на с. 49.

Смысл моих наставлений журналистам чаще всего сводится к следующему: в наше время, особенно в странах, где общество разделяет идеи демократии, ваше влияние на общественное мнение и степень вашей ответственности огромны. Одна из ваших первоочередных задач, по моему мнению, заключается в противостоянии лжи и взяточничеству. Тщательно, открыто и беспристрастно изучайте политические программы высших государственных чиновников, министров и других властей предержащих. Когда разразился скандал вокруг сексуальных похождений президента Клинтона, я особенно отметил сам факт возможности возбуждения судебного дела против высшего должностного лица самой могущественной мировой политической державы на тех же основаниях, что и против любого рядового гражданина.

159

Прекрасно, когда журналисты имеют долговременное чутье и проявляют интерес к деятельности известных людей, дабы выяснить, достойны они или нет доверия избирателей. Но в любом случае важно, чтобы такой интерес проявлялся тактично, открыто и непредвзято. Вам не следует на пути к цели прибегать к словам и поступкам, порочащим репутацию политического противника или враждебной политической партии.

160

Журналисты также обязаны всячески отдавать должное и правдиво освещать основные человеческие достоинства. Обычно журналисты интересуются лишь явлениями современной жизни, особенно в ее критические моменты. По сути, люди воспринимают убийство как неприемлемый и ужасный поступок, которого не должно быть. Поэтому любое покушение на че-

ловеческую жизнь тут же становится центром
внимания газетных публикаций. То же касается
и злоупотреблений и других преступных проявлений. Но в то же время проблемы, связанные
с воспитанием молодежи, заботой о пожилых
людях и уходом за больными, нам представля-
ются явлениями вполне обыденными, а потому недостойными внимания средств массовой
информации.

161

Главный недостаток такой позиции состоит
в том, что она постепенно навязывает обществу вообще и молодежи в частности отношение
к убийствам, изнасилованиям и прочим насиль-
ственным действиям как к чему-то обычному.
Мы рискуем, в конце концов, прийти к мысли
о том, что жестокость изначально присуща
человеческой природе и что противостоять
проявлениям насилия нет никакой возможности. Если однажды мы признаем свою убежден-
ность в этом, то для человечества нет никакой

надежды на будущее. Мы с полным основанием сможем сказать себе: если воспитывать в себе лучшие человеческие качества и жить в мире невозможно, то почему бы тогда не стать сторонником террора? Если помогать другим — бессмысленное занятие, почему бы не отвернуться от насущных проблем окружающих и жить отстраненно, лишь для себя?

Ваш долг как журналистов — отдавать себе отчет в существовании такой проблемы и ощущать свою ответственность. Даже если такая позиция не отвечает интересам ваших читателей или слушателей, рассказывайте им о положительном опыте других.

РАЗМЫШЛЕНИЯ О ЗЕМЛЕДЕЛИИ И ПРИРОДНОМ РАВНОВЕСИИ

Забота об окружающей среде и об охране здоровья и ответственность за их разрушение в значительной степени лежит на тружениках земледелия. Учитывая загрязненность горизонтов грунтовых вод, избыточное использование удобрений и пестицидов и множество других отрицательных факторов, приобретших в наши дни особенную огласку, мы все более и более сталкиваемся с необходимостью осмысления ответственности людей за разрушение экологической системы и возникновение все новых и новых катаклизмов. Заболевание «коровьим бешенством», передающееся через корма, представляется вопиющим примером следствия губительного вмешательства человека в гармонию природы. Согласно здравому смыслу, виновные должны понести наказание, но их, видимо, ни в чем даже не упрекают. Напротив, мы предпочитаем уничтожать поголовье коров, — безвинных жертв человеческой безответственности...

163

Я думаю, что нам следовало бы значительно ограничить применение химических веществ в сельскохозяйственном производстве, стараясь, по мере возможностей, не нарушать естественную гармонию природных процессов. На первый взгляд, это может способствовать незначительному сокращению получаемых прибылей, но впоследствии принятие такого решения несомненно принесет свои благоприятные плоды. Так же желательно было бы сократить масштабы и объемы промышленного скотоводства, наносящего ущерб окружающей среде. Впрочем, в наши дни уже не вызывает сомнения, что использование искусственных пищевых добавок в рационе скота может быть чревато непредсказуемыми последствиями. Когда мы размышляем о бесполезной трате времени, денег и энергии, нельзя не задуматься о том, что гораздо разумнее использовать другие методы.

164

Все живые существа имеют право на жизнь. Не подлежит сомнению, что все без исключения млекопитающие, птицы, рыбы способны наслаждаться и страдать, и, следовательно, они не любят страдать не в меньшей степени, чем мы. Когда мы насильственно используем животных, превращая их лишь в средство получения выгоды — даже если мы оставим в стороне размышления о канонах буддизма, — мы столкнемся все с тем же противоречием элементарным нравственным нормам.

165

Что касается конфликтов и разногласий, то из всех разновидностей живых существ на нашей планете люди являются основными провокаторами всех проблем. Это представляется очевидным. Мне кажется, что Земля была бы гораздо более надежным местом обитания, если бы не была заселена людьми. Несомненно, для миллионов рыб, куропаток и других мелких животных это был бы залог подлинного освобождения.

166

Тот, кто способен, не колеблясь, без капли сострадания убить живое существо или причинить ему страдания, несомненно, будет испытывать большие мучения, чем те, которые кто-либо из живущих способен испытать по отношению к себе подобным. Безразличие к страданиям каких бы то ни было живых существ всегда опасно, даже если мы считаем необходимым пожертвовать его жизнью ради благополучия большинства. Очень удобно отрицать это или не задумываться над этим, но такое отношение способно спровоцировать всевозможные злоупотребления, как это происходит во время войн. Такое отношение разрушает даже наше собственное благополучие. Я не устаю повторять, что наше сострадание или сочувствие, в конце концов, всегда непременно благоприятно скажутся на нас самих.

167

Некоторые непременно так или иначе обращают внимание на способность животных к уничтожению себе подобных. Это абсолютно верно, но нельзя отрицать, что животные, пожирающие других, открыто выражают свои намерения: они убивают, когда голодны, когда они не испытывают чувства голода — они никого не убивают. Это поведение не имеет ничего общего с поведением человека, который убивает миллионы коров, овец, кур и других животных и птиц ради единственной сиюминутной выгоды.

Однажды судьба свела меня с польским евреем, добрым и интеллигентным человеком. Так как он был вегетарианцем, в то время как жители Тибета не являются сторонниками отказа от животной пищи, этот человек сказал мне: «Я не употребляю животной пищи, но, если бы я питался ею, то, очевидно, у меня хватило бы духу самому убивать животных». Мы, жители Тибета, мы заставляем других убивать животных, а сами затем их едим! (*Шутка.*)

РАЗМЫШЛЕНИЯ О ВОЙНЕ

168

В любом человеческом сообществе всегда найдется несколько злоумышленников, являющихся источником неисчислимого количества проблем, и оказание им достойного сопротивления требует эффективных средств. Прибегнуть к использованию военной силы можно лишь в том случае, когда не остается иного выбора.

Мне представляется, что нельзя использовать армию для насаждения доктрины или для захвата другой страны. Использование военной силы допустимо лишь в случае крайней необходимости, дабы положить конец преступным деяниям тех, кто посягает на благополучие общества или провоцирует беспорядки. Единственная приемлемая цель военных действий — всеобщее благо, а не личные интересы. Таким образом, военные действия — всегда крайняя мера.

169

Наша История неопровержимо свидетельствует, что жестокость всегда порождает жестокость и очень редко помогает разрешению проблем. Напротив, жестокость лишь является причиной неизмеримых страданий. Очевидно, что даже в случае, когда насильственное решение возникающих конфликтов представляется единственно разумным и логичным, нам никогда не дано знать, не раздуваем ли мы огонь в тлеющих углях, стремясь потушить пожар.

170

Сегодня война становится все более и более жестокой, бесчеловечной. Современное вооружение позволяет уничтожать тысячи людей без ущерба для тех, кто ведет военные действия, невзирая на страдания, причина которых — мы сами. Те, кто отдает приказы хладнокровно убивать, зачастую находятся за тысячи километров от театра военных действий. Гибнут и остаются калеками на всю жизнь чаще всего ни в чем не повинные люди, женщины и дети, одержимые желанием жить. Мы с ужасом вспоминаем о прошлых войнах, когда предводитель войска шагал к победе по головам своих подчиненных. Гибель полководца чаще всего означала прекращение военных действий. Наш долг сегодня — по меньшей мере постараться вернуть военной силе человеческие измерения.

171

С того самого момента, как человек обладает оружием, он одержим желанием во что бы то ни стало испытать его в действии. Моя точка зрения состоит в признании несостоятельности государственных вооруженных сил. Миру необходимо избавляться от запасов вооружений. Единственным источником вооружения должны оставаться международные миротворческие силы, которые вправе вмешаться в ситуацию лишь в случае, когда существует реальная угроза безопасности в том или ином районе земного шара.

172

Все говорят о поддержании мира, но мир на нашей планете невозможен, если мы в глубине души одержимы гневом и ненавистью. Это так же нелепо, как и попытка совместить желание всеобщего спокойствия с развитием гонки вооружений. Применение ядерного оружия рассматривается сегодня как главная сила устрашения, но мне этот способ поддержания мира и спокойствия не кажется разумным для достижения и поддержания долговременного положительного эффекта.

173

Некоторые страны выделяют огромные денежные суммы для развития своего вооружения. Сколько же денег, сил, энергии растрачивается зря, в то время как опасность взрыва способна лишь порождать все новые и новые страхи.

174

Положить конец военным действиям — дело всех нас. Конечно, можно разузнать имена людей, провоцирующих конфликты, но нельзя утверждать, что эти люди внезапно появились из ниоткуда, что эти люди действовали поодиночке. Наравне с нами они являются представителями общества, неся свою долю общей ответственности. Если мы стремимся к поддержанию мира во всем мире, то прежде попытаемся сделать все возможное для того, чтобы сохранить мир в собственной душе.

175

Мир во всем мире может проистекать только из душевного равновесия, а душевное равновесие, в свою очередь, зиждется на осознании того, что все представители рода человеческого суть словно члены одной большой семьи, независимо от вероисповедания, идеологии, политических и экономических систем. Последним принадлежит лишь второстепенная роль среди основополагающих факторов, сближающих нас. Важнее всего представляется то, что мы все являемся представителями рода человеческого, населяющими одну маленькую планету. Нам крайне необходимо общаться друг с другом и помогать друг другу хотя бы для того, чтобы просто выжить. Это касается как взаимоотношений между отдельными людьми, так и взаимоотношений между государствами.

РАЗМЫШЛЕНИЯ О САМОПОЖЕРТВОВАНИИ

176

Я беспредельно восхищаюсь всеми теми, кто посвящает себя другому в медицине, образовании, в духовной жизни, в жизни семейной, общественной или в любой другой сфере человеческой деятельности. Жизнь во всяком человеческом сообществе немыслима без преодоления целого ряда проблем при неизбежном столкновении со всевозможными отрицательными проявлениями. Стремление каждого сделать все, от него зависящее, для преодоления этих проблем, достойно похвалы.

С точки зрения канонов буддизма, важно не просто помогать ближнему из чувства долга или удовлетворения — подобно тому, как некоторые люди занимаются садоводством, руководствуясь потребностью в удовольствии. Если мы помогаем ближнему из чувства любви и сострадания, с улыбкой и приветливыми словами, то мы дарим ему частичку счастья. Сам поступок, может быть, ничем не отличается от того, который мы совершаем из чувства долга, — но моральное удовлетворение от первого несравненно ощутимее.

177

Если вы врач, то при оказании помощи больным никогда не относитесь к этому как к совершенно привычному, рутинному занятию или тяжелой обязанности. У пациентов может сложиться впечатление, что их страдания не воспринимаются всерьез, что им не уделяется достаточного внимания, что с ними обращаются, как с подопытными морскими свинками. В самом деле, некоторые хирурги во время операции относятся к пациенту как к поломанному механизму, подчас не отдавая себе отчета в том, что имеют дело с живыми людьми. Забывая о человеке, нуждающемся в доброте и заботе, они безжалостно кромсают, зашивают человеческое тело, заменяют жизненно важные органы так, словно речь идет о запасных частях к автомобилю или деревянных поленьях.

178

Очень важно в своих отношениях с другими людьми руководствоваться чувством любви к своим близким. Такой духовный настрой благоприятен не только для того, кто получает блага, но и для того, кто отдает.

179

Чем в большей степени мы одержимы потребностью дарить счастье другим, тем больше в то же время наш вклад в созидание нашего собственного счастья. Но никогда не думайте об этом, делая людям добро. Не ожидайте ничего взамен, а стремитесь отдавать себя для блага ближнего.

180

Никогда не стремитесь показать свое превосходство над теми, кому вы решили прийти на помощь. Даже если вы помогаете им деньгами, отдаете свое время и силы, — всегда делайте это без высокомерия и пренебрежения, которое испытывают по отношению к облаченному в рубище, нечистоплотному, тщедушному попрошайке без царя в голове. Лично я, встречая на своем пути нищего, стараюсь относиться к нему не как к существу ущербному, а как к человеческому существу, ничем не отличающемуся от меня.

181

Когда вы предлагаете другому свою помощь, не следует довольствоваться лишь решением сиюминутных проблем, например, стремиться помочь человеку, предложив ему денег. Дайте ему также возможность самому найти выход из его затруднительной ситуации.

ЧАСТЬ ЧЕТВЕРТАЯ

РАЗМЫШЛЕНИЯ О ЖИТЕЙСКИХ МУДРОСТЯХ

РАЗМЫШЛЕНИЯ О СЧАСТЬЕ

182

Я думаю, что каждому человеческому существу присуще врожденное осознание собственного «я». Объяснить, откуда к нам пришло чувство этого осознания, мы не можем, — но тем не менее оно существует. Именно оно порождает наше стремление быть счастливыми и преодолевать страдание. Это представляется совершенно закономерным: в нас от природы заложено осознание нашего права на счастье, мы от природы наделены правом избавления себя от страданий. Вся история человечества вдохновлена именно этим осознанием. Впрочем, оно свойственно не только людям; с точки зрения буддистских верований, даже ничтожное насекомое способно чувствовать и, по мере возможного, стремится избежать неблагоприятных ситуаций и обрести счастье.

Есть несколько представлений о том, что значит быть счастливым. Те, чей рассудок помутнен, испытывают чувство беспричинного счастья. Им постоянно кажется, что все хорошо. Но нас не интересует такое представление о счастье.

Есть те, чье представление о счастье основано на стремлении к обладанию материальными благами и чувственным удовольствиям. Мы уже говорили о заблуждениях, которыми чревато такое восприятие счастья. Но если вы, ощущая себя действительно счастливым, тем не менее не склонны принимать ваше счастье как дар, ниспосланный свыше, то вы, при неблагоприятных обстоятельствах, обречены на двойное страдание.

Есть еще и те, кто счастлив от того, что мыслит и ведет себя, сообразуясь с нравственными нормами. К достижению счастья в именно таком понимании и следует стремиться, ибо оно в высшей степени оправданно и не зависит от обстоятельств.

184

Если ваша совесть нечиста, то вы не сможете быть счастливым, даже если вы живете в благоприятной обстановке, в окружении верных друзей. Вот почему нравственные устои важнее внешних обстоятельств. Несмотря на это, у меня складывается впечатление, что некоторые больше озабочены собственным материальным достатком, не уделяя достаточного внимания духовному совершенствованию. Я советую уделять больше внимания совершенствованию наших душевных качеств.

185

Чтобы быть по-настоящему счастливым возможно дольше, вначале необходимо познать сущность страдания. Поначалу такой путь может показаться ущербным, но в конце концов мы от этого только выигрываем. Те, кто предпочитает уходить от реальности при помощи наркотического дурмана, впадая в притворное невежество ложной набожности, или в погоне за возможностью жить на широкую ногу, не утруждая свой разум мыслительной деятельностью, в конце концов, обеспечивают себе лишь короткую отсрочку. Когда трудности наваливаются с новой силой, они оказываются полностью неспособными им противостоять и, как говорят жители Тибета, вынуждены «обрести свое пристанище в стране плача». Людьми овладевают гнев и отчаяние, усугубляющие изначальный груз бед еще и напрасным страданием.

186

Попытаемся же понять причину наших страданий. Как и любое другое явление, они обязаны своим возникновением неисчислимому количеству причин и условий. Если наши ощущения, по сути, зависели бы лишь от одной-единственной причины, то нам было бы достаточно лишь одной-единственной причины для сиюминутного счастья, дабы постоянно чувствовать себя счастливым. Но мы-то знаем, что это далеко не так. Так не будем же думать, что за все есть ответственные и что для того, чтобы навсегда избавиться от страданий, достаточно лишь возложить на них ответственность за наши всевозможные беды.

187

Необходимо признать, что страдание составляет неотъемлемую часть нашей жизни, или, согласно постулатам буддизма, сансары, то есть предопределенного цикла перерождений на протяжении всей жизни. Если мы рассматриваем страдание как некое отрицательное, противоестественное явление, жертвой которого мы являемся, то мы обречены влачить жалкое существование. Проблема заключается в нашем отношении к страданию. Счастье возможно лишь тогда, когда даже то, что мы привычно считаем проявлениями страдания, неспособно сделать нас несчастными.

Согласно буддистской традиции, размышление о природе страдания никогда не ограничивается рассуждениями о пессимизме или отчаянии. Это размышление наводит нас на осознание необходимости раскрытия первопричин нашего страдания — одержимость желаниями, ненависть, невежество, — и необходимости побороть их в своей собственной природе. Под невежеством в данном случае понимается неспособность понять истинную суть живых существ и вещей. Невежество лежит в основе двух остальных зол, отравляющих нашу душу. Когда исчезает невежество, одержимость желаниями и ненависть лишаются почвы, — и источник нашего страдания иссякает. Результатом этого является внезапное ощущение необходимости поделиться своим счастьем с другими, — и человек обретает силу, позволяющую сбросить гнет отрицательных переживаний.

РАЗМЫШЛЕНИЯ О НЕСЧАСТЬЕ

Даже в промышленно развитых странах можно встретить множество несчастных людей. Они ни в чем не нуждаются, не отказывают себе в пользовании всевозможными жизненными благами, — и тем не менее считают себя достойными лучшей участи. Они ощущают себя несчастными из зависти или по множеству других причин. Некоторые постоянно живут в ожидании какого-нибудь вселенского катаклизма, другие не могут отделаться от мысли о близком конце света. Отсутствие у таких людей способности к здравомыслию является причиной того, что они создают свои беды собственными руками. Стоит лишь изменить свой взгляд на вещи — и все тревоги развеются сами собой.

Есть и такие, у которых есть все основания для того, чтобы ощущать себя несчастными, — те, кто действительно немощен, прозябает в крайней нищете, жертвы катастроф, люди, несправедливо обделенные обществом. Но, повторяю, они часто имеют все возможное для того, чтобы помочь разрешению своих жизненных трудностей. С материальной точки зрения им следует уделять должное внимание собственному здоровью, предъявлять справедливые претензии притесняющим их, при необходимости настаивать на справедливом правосудии, работать не покладая рук, если отсутствие или недостаток средств не позволяет обеспечить себя пищей или одеждой. С точки зрения духовной в их силах обеспечить себе положительный внутренний настрой.

191

Степень нашего несчастья определяется нашим духовным настроем. Например, если мы ощущаем себя нездоровыми, то нашим единственным разумным побуждением будет стремление использовать все возможные способы исцеления — обращение к врачу, следование его рекомендациям, прием предписанных лекарственных средств, выполнение определенных упражнений... Но чаще всего мы сами усугубляем собственные страдания, жалуясь на судьбу, таким образом лишь добавляя к физическому страданию страдание душевное.

192

Если наша болезнь серьезна, то мы чаще всего склонны рассматривать ее с самой неблагоприятной точки зрения. Жалуясь на головную боль, мы думаем: «Это самое худшее из несчастий, которое только могло со мной приключиться! По меньшей мере, было бы несравненно лучше, если бы у меня отнялись ноги...» Вместо того, чтобы убедить себя в том, что в мире есть еще множество людей, страдающих, по меньшей мере, в одинаковой степени с нами, мы жалуемся так, словно на нас свет клином сошелся.

Между тем вполне возможно отнестись к нашим страданиям совершенно по-другому, например, убедить себя, если наши руки парализованы: «Пусть я лишен возможности пользоваться руками, но я еще могу держаться на ногах». Или, если парализованы наши ноги: «Пусть я не держусь на ногах, но тем не менее я могу передвигаться с помощью инвалидной коляски и, кроме того, у меня есть руки, которыми я могу пользоваться при письме». Таких простых рассуждений вполне достаточно для того, чтобы помочь себе обрести душевное равновесие.

193

В каком бы положении мы ни оказались, его всегда возможно оценить с благоприятной точки зрения, в частности в наше время, когда благодаря современным технологиям у нас появились дополнительные основания для надежды. Представляется немыслимым не суметь найти никакого разумного способа облегчения страдания, виной которому — обстоятельства реальной жизни. Случаи, когда мы волей не зависящих от нас обстоятельств обречены на страдание, не имея реальной возможности помочь себе, крайне редки. Чтобы помочь себе справиться с телесным недугом, думайте о благоприятном исходе, сосредоточьте на этом все ваши мысли, и это, несомненно, поможет вам облегчить ваши страдания.

194

Даже если наша болезнь продолжительна и серьезна, несомненно, есть способ, помогающий нам не впадать в отчаяние. Если вы исповедуете буддизм, скажите себе: «Да поможет мне мое страдание очиститься от греха моих неблаговидных деяний в прошлом! Пусть мои страдания усугубятся страданиями других и помогут мне оказаться на их месте!» Подумайте и о том, что многочисленные живые существа страдают подобно вам, и молитесь о том, чтобы ваши страдания смогли облегчить их муки. Если у вас не хватает духовных сил рассуждать так, то даже осознание того, что вы не одни в своем несчастье, что многие другие тоже претерпевают страдания вместе с вами, поможет вам преодолеть вашу болезнь.

Если вы исповедуете христианство и верите в Бога — творца Вселенной, то утешайте себя мыслью: «Я не желал себе этого страдания, но оно, должно быть, имеет свои причины, ибо Бог в своем сострадании ниспослал мне жизнь». Если вы не придерживаетесь никакой веры, то подумайте о том, что ваше страдание, каким бы страшным оно ни было, не является исключительно вашим уделом. Даже если вы ни во что не верите, попытайтесь вообразить себе над частью тела, причиняющей вам страдание, проникающий свет, в котором словно растворяется ваша боль, и убедитесь, что это приносит вам облегчение.

195

Существуют внезапные лишения, неотвратимые беды — такие, как, например, смерть близкого человека. Конечно, речь не идет о том, чтобы устранить причину. Но в самом деле, если уже ничего нельзя поделать, подумайте о том, что отчаяние бесплодно и способно лишь усугубить вашу боль. Я думаю прежде всего о тех, кто не исповедует никакой веры.

196

Важно изучить природу вашего страдания, выяснить его причину и, если возможно, устранить ее. Как правило, мы полагаем, что в наших страданиях нет доли нашей ответственности. Мы страдаем по чьей-то вине или по каким-либо иным причинам, не зависящим от нас. Но я сомневаюсь, что дело обстоит на самом деле всегда именно так. Мы немного похожи на студентов, которые, провалившись на экзамене, и слышать не желают о том, что они могли бы сдать экзамен блестяще, если бы прилагали больше усилий к учебе. Мы направляем наш гнев на кого-то, мы провозглашаем, что обстоятельства словно ополчились против нас. И что может быть хуже, если это второе зло, душевное страдание, усугубляет первое?

197

Многочисленные распри в человеческом сообществе вообще и в наших собственных семьях, не говоря уж о вражде государств и народов, даже внутренние конфликты каждой отдельной личности... все конфликты и противоречия происходят от несогласованности идей и мнений, внушаемых нам нашей разумностью. Таким образом, наша разумность, к несчастью для нас самих, может ввергнуть нас в дурное состояние духа. В этом случае разумность становится для человека лишь дополнительным источником страдания. И все же мне кажется, что наша разумность в то же время — единственное средство, которым мы располагаем, позволяющее нам преодолевать всевозможные трудности и разногласия.

Даже теряя близкого вам человека, например, отца или мать, вы должны уметь держать себя в руках. Подумайте о том, что по достижении определенного возраста жизнь неизбежно подходит к концу. Когда вы были ребенком, ваши родители сделали все возможное для того, чтобы воспитать вас. Сегодня вам не о чем жалеть. Разумеется, если они ушли из жизни в расцвете сил, если причиной их смерти стал несчастный случай, например происшествие на дороге, то это гораздо трагичнее.

РАЗМЫШЛЕНИЯ
О ПЕССИМИЗМЕ

199

Я хочу сказать всем пессимистично настроенным и недовольным собой людям: «До чего же вы глупы!» Однажды, в Соединенных Штатах Америки, я встретил женщину, ощущавшую себя несчастной без видимых на то причин. Я сказал ей: «Не будьте несчастной! Вы молоды, вам в жизни отпущено еще немало лет, вам совершенно не о чем печалиться!» Она спросила меня, по какому праву я вмешиваюсь в ее дела. Я был опечален. Я ответил ей, что ее слова лишены всякого смысла. Я взял ее за руку, дружески похлопал ее по плечу, и ее настроение переменилось.

Таким людям можно помочь, лишь проявляя по отношению к ним любовь и внимание. Не показную любовь, выраженную в напыщенных фразах, а нечто идущее от сердца. Когда мы ссоримся, мы взываем к разуму, но когда мы хотим проявить по отношению к кому-то истинную любовь и нежность, мы искренне говорим то, что у нас на душе. В конце концов, настроение этой женщины переменилось. И она от всей души рассмеялась.

200

Если вы не верите в возможность изменений к лучшему, то подумайте о том, что вы живете в обществе людей, которым, по сути, свойственно чувство взаимной любви. Вы всегда найдете среди людей того, с кем вам бы хотелось связать свои надежды на будущее, кого-либо достойного стать примером для подражания. Ваши терзания не могут вам помочь.

201

Направьте ход ваших мыслей в положительное русло. Попытка убедить себя в том, что мир несовершенен, — заблуждение. Конечно, есть непорядочные люди. Но есть и огромное число людей благочестивых и щедрых.

202

Есть люди с определенным типом мировосприятия, которые никому не доверяют и ощущают себя одинокими. По существу их чувство одиночества проистекает из того, что они недостаточно думают о других. Когда мы в достаточной мере не задумываемся о других, мы судим о них по себе и считаем, что они воспринимают нас такими же, какими их воспринимают остальные. В этом случае чувство одиночества неизбежно.

203

Однажды в Дхарамсалу приехал человек, поддерживающий хорошие связи с коммунистическим Китаем. Многие здесь, узнав о его прибытии, заранее постарались сообщить о нем и очернить образ этого человека. В результате во время встречи в воздухе словно витало ощущение безнадежности.

Лично я ничего не имел против этого человека, считая его представителем рода человеческого, и думал о том, что если он доверяет китайцам, то это лишь результат его недостаточной осведомленности.

С первой же встречи он обращался ко мне полемическим тоном, но я рассматривал его подобным себе и дружески беседовал с ним о Тибете. На второй день его отношение полностью изменилось.

Если бы я тоже вел себя возбужденно, то мы бы проявляли все большее и большее упорство в отстаивании наших позиций. Я бы не слушал его доводы, и он не придавал бы никакого значения моим словам. Рассматривая его как представителя человечества, убеждая себя в том, что все люди равны, что они все иногда испытывают недостаток информации, проявляя дружелюбие, мне наконец удалось вызвать моего противника на откровенность.

204

Есть люди, которые способны видеть во всем лишь дурную сторону. Это удивительно. В общине выходцев из Тибета, например, мы все ощущаем себя беженцами, мы все находимся в одинаковом положении. Но среди нас есть такие, кто полностью доволен жизнью и постоянно рассказывает забавные истории, поддерживая наш дух, а есть другие, которые, напротив, ни в чем не видят чего-либо положительного. Они плохо отзываются обо всем и постоянно предаются внутренним терзаниям.

Как написано в буддистских текстах, мир может являться другом или врагом, полным недостатков или полным достоинств, — все зависит от нашего способа мышления. В общем, ничего не существует такого, у чего не было бы своих недостатков или достоинств. Все, что мы используем, — пища, которую мы едим, одежды, в которые одеваемся, наши дома — у всех, с кем рядом мы живем — членов наших семей, друзей, наших наставников и наших подчиненных, наших учителей и наших учеников есть одновременно свои достоинства и свои недостатки. Это так. Чтобы грамотно оценить реальное положение вещей, нужно признать природу этих достоинств и этих недостатков.

206

С определенной точки зрения возможно все воспринимать в радужных тонах. Даже страдание может быть благоприятным. Замечу, что те, кто по жизни сталкивался с многочисленными трудностями, обычно ни на что не жалуются и не испытывают ни малейших затруднений. Лишения, которые претерпевали эти люди, закалили их характер, расширили их кругозор, сделали их более уравновешенными, более приближенными к реальности, доведя до совершенства свое умение беспристрастно смотреть на вещи. Те, кто не сталкивается с трудностями, проводят жизнь в довольстве — отдаляются от реальности. Сталкиваясь с любыми, даже самыми незначительными трудностями, такие люди способны лишь «обрести пристанище в стране сожалений».

207

Я лишился своей родины, я провел большую часть жизни в изгнании, на долю моего народа выпали жестокие лишения и гонения, наши храмы были разрушены, наша культура была уничтожена, страна — разорена и разграблена, ее богатства — расхищены. Не было ни малейшего повода для радости. Тем не менее я сумел значительно духовно обогатиться за счет общения с представителями других народностей, других религиозных конфессий, других культур, другого научного мировоззрения. Я смог познать доселе неизвестные мне проявления свободы и приобщиться к ранее незнакомым мне формам мировоззрения.

208

Среди наиболее жизнерадостных и внутренне непоколебимых в своей целеустремленности членов обреченной на изгнание тибетской общины часто можно найти людей, на долю которых выпали самые жестокие испытания. Проведя двадцать лет в ужасающих условиях тюремного заключения, эти люди говорили мне, что с точки зрения духовного возмужания это были лучшие годы их жизни. Одного монаха из монастыря, в котором мне довелось служить настоятелем, в течение многих лет тюремного заключения подвергали жестоким пыткам, дабы принудить его отречься от своей веры. Когда этому послушнику наконец удалось бежать в Индию, я спросил у него, не испытывал ли он чувство страха. Он мне ответил со всей искренностью, что он больше всего опасался утратить чувство сострадания к своим палачам.

209

Те жители Франции, Германии, Англии и других стран, которым довелось познать ужасы Второй мировой войны и последующий трудный период крайней нищеты, не покорились малым потрясениям. Они довольны своей участью, потому что они были свидетелями худшего. Напротив, те, кого жизнь не столкнула с лишениями этой войны, те, кто жил беззаботно, словно в детском саду, содрогаются и почти теряют самообладание перед трудностями. Когда счастье близко, они не могут его распознать.

210

Некоторые из числа представителей нынешних поколений, будучи не в силах справиться с требованиями, навязываемыми постоянно развивающимся миром материальных ценностей, стремятся обратить свои взоры в область духовной жизни. Это стремление мне кажется положительным. Как бы то ни было, постарайтесь осознать, что мир создан из хорошего и плохого, и то, что мы часто принимаем за истину, чаще всего оказывается лишь порождением нашего рассудка.

РАЗМЫШЛЕНИЯ О СТРАХЕ

211

Есть некоторые люди, которые с самого момента пробуждения ощущают себя объятыми чувством необъяснимой тревоги. Это ощущение может возникнуть в силу целого ряда причин. Некоторые из таких людей в раннем детстве испытали недоброжелательное отношение к себе со стороны родителей, братьев и сестер. Другие стали жертвами сексуального насилия. Они терпели надругательства, но не смели об этом говорить. Мало-помалу в душе зарождается страх, который и является причиной страданий.

Когда этим людям, в конце концов, удается выразить то, что они пережили, если рядом с ними найдется кто-либо, способный им внушить, что все эти отрицательные переживания остались в прошлом, то таким людям удается поставить конечную точку в этой главе их жизни. В Тибете говорят, что нужно раскрывать раковину, подув внутрь.

212

Когда я был юным, я всегда боялся темных комнат. С тех пор прошли годы, и этот страх исчез. То же самое касается и общения с людьми: чем в большей степени ваш разум будет закрыт, тем в большей степени вы будете бояться и тем в меньшей степени будете ощущать себя в безопасности. Чем более открытыми вы будете, тем непринужденнее будете ощущать себя. Это — плод моего личного опыта. Когда я встречаю кого-нибудь, для меня не важно, идет ли речь о великом человеке, о нищем или о совершенно заурядной личности. Самое главное — с открытым и добрым лицом просто улыбнуться этому человеку.

213

Если вы испытываете угнетение из-за того, что утратили веру в себя, и считаете, что все ваши начинания обречены на неудачу, — поразмыслите немного. Попытайтесь понять, что вас повело с самого начала по неправильному пути. Вы не найдете никакого веского основания. Ведь сложность заключается в вашем способе мышления, а не в действительной неспособности что-либо изменить.

214

Истинное сострадание неотделимо от осознания того, что и другие, так же как и мы, имеют право на счастье. Из такого осознания чувства сострадания рождается наше чувство ответственности. Рассуждая подобным образом, мы тем самым повышаем степень доверия к себе. Это, в свою очередь, поможет избавиться от страха и обрести веру в себя. Если вы с самого начала приняли твердое решение выполнить какую-либо трудную задачу, то для вас не будет иметь значения ваша неудача в первый, второй, третий раз. Ваша цель ясна, и вы будете прилагать все усилия для ее достижения.

215

Действенный способ побороть уныние — уделять больше внимания другим, нежели себе самому. Когда мы ясно осознаем трудности, с которыми приходится сталкиваться окружающим, наши собственные проблемы отходят на второй план. Когда мы предлагаем кому-нибудь нашу помощь, возрастает наше самоуважение, а наши тревоги уходят. Разумеется, необходимо, чтобы ваше желание помочь другому было искренним. Если мы таким образом преследуем цель лишь избавить себя от страданий, то наши тревоги и сомнения лишь лягут на нас тяжким грузом.

РАЗМЫШЛЕНИЯ О САМОУБИЙСТВЕ

216

О самоубийстве говорить очень трудно. Есть огромное множество поводов лишить себя жизни. Некоторые люди добровольно уходят из жизни, будучи не в силах побороть одолевающее их чувство беспокойства или тревоги. Некоторых доводит до самоубийства отчаяние. Некоторые сводят счеты с жизнью, осознавая себя оскорбленными в своем самолюбии из-за осознания обиды, нанесенной окружающими, или долга, который окружающие не выполнили по отношению к ним. Есть люди, убежденные в том, что им не дано преуспеть в этой жизни. Есть люди, одержимые страстным желанием, которые готовы по собственной воле уйти из жизни, одержимые гневом из-за того, что это желание не исполнено. Есть те, кто не в силах справиться с печалью, и много-много других...

217

Вообще, человек, принимая решение добровольно уйти из жизни, таким образом избавляет себя от необходимости решения своих проблем. Даже если до сегодняшнего дня он сталкивался лишь с трудностями, никто не может утверждать, что однажды он сможет найти способ их разрешения.

218

Большинство самоубийств совершается в момент крайнего душевного волнения. Как человеческие существа, мы не можем принять такое крайне серьезное, радикальное решение лишь под влиянием приступа гнева, сиюминутного желания или тоски. Если мы будем принимать решения под влиянием сиюминутного порыва, нам не избежать опасности впасть в заблуждение. Так как мы являемся разумными существами, то попытаемся заставить себя обрести состояние покоя и равновесия, прежде чем принимать решение совершить непоправимое.

Мой духовный наставник Триян Ринпоше рассказал мне историю одного очень несчастного человека родом из провинции Кхамс, который решил покончить с собой, бросившись в реку Тсангпо, в местечке Лхаса. С собой он взял бутылку вина и сказал себе, что он бросится в реку, как только осушит бутылку до дна. Вначале он был весь во власти волнения. Очутившись на берегу реки, он чуть-чуть передохнул, сидя на берегу. Все еще не решаясь броситься в реку, он отпил немного из бутылки. Чувствуя, что это не добавило ему достаточно храбрости, он отпил еще немного. В конце концов, он вернулся домой, сжимая рукой опорожненную бутылку.

РАЗМЫШЛЕНИЯ ОБ ОДИНОЧЕСТВЕ И ОТЧУЖДЕНИИ

220

Прочитав результаты опроса, я узнал, что большинство американцев считают себя одинокими. Четверть взрослого населения признались в том, что в последние две недели ощущали по отношению к себе крайнее отчуждение. Это явление представляется сегодня распространенным.

На улицах городов — тысячи людей, не удосуживающиеся удостоить друг друга взглядом. Даже встречаясь взглядами, они не улыбнутся друг другу, разве что случайно увидят знакомое лицо. В поезде люди могут часами находиться рядом, но при этом даже не обменяются словом. Разве это не кажется странным?

У меня складывается впечатление, что чувство одиночества проистекает из двух основных причин. Первая заключается в том, что население стало слишком многочисленным. Когда численность населения в мире была меньше, то наше осознание принадлежности к единой семье человечества было острее, у нас была потребность лучше узнать друг друга и помогать друг другу. В наши дни в маленьких деревеньках люди еще связаны близкой дружбой, сообща распоряжаются орудиями труда, машинами, выполняют тяжелые работы. Раньше эти люди часто встречались, вместе посещали храмы и молились. У людей было гораздо больше возможностей общаться.

Сегодня, когда наша планета перенаселена, миллионы людей вынуждены скученно жить в больших городах. Присмотревшись к этим людям, можно подумать, что их единственные занятия — это работа и получение заработка. Создается впечатление, что каждый из них живет сам по себе. Современные машины предоставляют нам большую самостоятельность, и у нас возникает ощущение, — разумеется, ложное, — что окружающие нас люди играют в нашей жизни все более и более второстепенную роль. Такая ситуация лишь усугубляет безразличие и ощущение отчужденности.

222

Вторая причина одиночества, на мой взгляд, кроется в том, что в современном обществе мы испытываем постоянную крайнюю загруженность. Если мы решим обратиться к кому-то даже для того, чтобы просто поинтересоваться у него: «Как дела?», у нас непременно возникнет ощущение, что мы при этом потеряем две драгоценные секунды нашей жизни. Едва управившись с работой, мы уже погружены в чтение газет: «Что новенького?» Поговорить с другом — значит, попусту убивать время.

223

В городе мы часто сталкиваемся с другими людьми. Нужно приветствовать друг друга. Избегая завязывать разговор со случайными прохожими, мы поступаем неосмотрительно. Мы стараемся избегать общения и считаем вмешательством в нашу жизнь желание кого-либо заговорить с нами.

224

Причина одиночества жителей больших городов заключается не в отсутствии людей, способных на снисхождение, а в отсутствии человеческой привязанности. Это отрицательно сказывается на нашем духовном здравии. В то же время разум и чувства тех, кто с детства был окружён заботой и нежностью, развиваются более гармонично.

В современном обществе отношения людей друг с другом все более и более теряют в своей гуманности, постепенно приобретая формальный характер. Утром мы уходим на работу. После работы, вечером, позволяем себе расслабиться в ночном кабачке или на улице. Мы развлекаемся, возвращаемся домой поздно, оставляя для сна несколько часов. На следующий день, еще не пробудившись от сна, с затуманенной головой снова приступаем к работе. Разве не так городские жители проводят значительную часть жизни? Каждый становится похожим на деталь некоего огромного механизма, каждый волей-неволей должен подчиняться работе всей системы. По прошествии некоторого времени это становится невыносимым, и мы замыкаемся в полном безразличии.

226

Не предавайтесь излишнему веселью вечером. По окончании рабочего дня лучше вернуться домой. Не спеша поужинайте, выпейте чашку чаю или чего-либо еще, почитайте книгу, расслабьтесь и в таком состоянии приятной расслабленности отходите ко сну. Утром вставайте пораньше. Если вы отправитесь на работу бодрым и со свежей головой, то я думаю, что вы вскоре ощутите в вашей жизни перемены к лучшему.

227

Всем известно, что чувство одиночества ни благотворно, ни приятно. Мы должны побеждать его сообща. Но, учитывая, что оно проистекает из огромного количества причин и условий, включиться в эту борьбу нам следует как можно раньше. Именно семья, как основная ячейка общества, призвана стать местом, где можно ощутить себя счастливым, где можно самосовершенствоваться в атмосфере любви и нежности.

228

Если вы одержимы ненавистью и злобой к окружающим, то вполне возможно, что они по отношению к вам испытывают те же чувства. Подозрение и страх создадут препятствие между вами, и вы ощутите себя одиноким и покинутым. Конечно, не все люди вашего круга разделят эти пагубные чувства по отношению к вам, но некоторые будут смотреть на вас с негативной стороны, учитывая ваши чувства по отношению к себе.

229

Если доброжелательная обстановка окружает детей не только дома, но и в школе, то, вступив во взрослую общественную жизнь, у них возникнет потребность помогать другим. Встречая кого-нибудь впервые, они не будут испытывать смущения и смогут обратиться к прохожему без страха. Они будут способствовать созданию нового общества, в котором ощущение одиночества не будет столь распространено.

РАЗМЫШЛЕНИЯ О ГНЕВЕ

230

Когда нас обуревает гнев или ненависть, мы ощущаем себя скверно — как морально, так и физически. Все это осознают, и ни у кого не возникает желания быть рядом с нами. Нас избегают даже животные — за исключением разве что блох и комаров, которые только и желают, что напиться нашей крови. Мы теряем аппетит и сон, иногда приобретаем язвы, и если мы постоянно находимся в таком состоянии, мы наверняка сокращаем число лет, еще отпущенных нам для жизни.

Зачем все это? Даже если мы вконец взбешены, нам никогда не удастся избавиться от всех наших врагов. Знаете ли вы кого-либо, кому бы это удалось? До тех пор, пока мы скрываем в себе наших внутренних врагов, какими являются гнев или ненависть, мы не сможем победить наших внешних врагов, которых завтра будет еще больше.

Наши истинные враги — яды, отравляющие наше сознание: невежество, ненависть, похоть, зависть, гордыня... Они способны разрушить наше счастье. В частности, гнев или ненависть способны стать причиной многих бед в этом мире, начиная с семейных распрей и кончая серьезными конфликтами. Они сводят на нет преимущества любой благоприятной ситуации. Ни одна религия не обожествляет их наравне с добродетелями. Все религии построены на любви и благоденствии. Достаточно прочитать многочисленные описания рая для того, чтобы понять, что речь идет о прославлении мира, красоты, великолепных садов, цветов, — но, насколько мне известно, никогда — о воспевании войн и вражды. Иными словами, гнев не может считаться достоинством.

Как относиться к проявлениям гнева? Для некоторых они не могут считаться недостатком. Те, кто не слишком задумывается о ходе своих мыслей, думают, что склонность к проявлению гнева является неотъемлемой чертой их характера, от которой не нужно избавляться, а которую необходимо, напротив, всячески поощрять. Если бы это соответствовало истине, то нужно было бы признать, что невежество или неграмотность тоже представляют собой врожденную неотъемлемую черту нашего характера, ибо, появляясь на свет, мы ничего не знаем. Тем не менее мы делаем все для того, чтобы побороть наше невежество или безграмотность, но при этом никто не оспаривает тот факт, что это естественные проявления, в которых нам не дано что-либо изменить. Почему бы тогда не поступить так же с ненавистью или гневом — проявлениями куда более губительными? Стоит попытаться это сделать.

233

Овладение любым навыком требует времени, а все знать невозможно. Тем не менее было бы неплохо стать чуть более сведущим. Не менее трудно и навсегда изжить гнев, но если вам удалось в этом хоть немного преуспеть, — результат того стоит. Вы, конечно, можете мне возразить, что все это меня не касается, что это — исключительно ваша проблема! (*Шутка.*)

234

Быть может, психологи и скажут вам, что вместо того, чтобы скрывать такое эмоциональное проявление, как гнев, его нужно выпустить наружу. Во всяком случае, они не скажут вам, что нужно попытаться найти его источник или усилить его. Научитесь распознавать отрицательные стороны негодования, и, даже если вы продолжаете считать, что гнев является чертой вашего характера, вы в конце концов без труда придете к выводу, что от гнева лучше воздерживаться.

235

По мере возможности старайтесь избегать ситуаций, провоцирующих вас на проявление негодования. Если же, несмотря ни на что, они все же возникают, попытайтесь не поддаваться возмущению. Если вы встретили кого-нибудь, кто способен разозлить вас, попытайтесь забыть об этом досадном недоразумении и взглянуть на человека с другой точки зрения.

236

Те, кого мы считаем нашими недоброжелателями, не являются таковыми с самого рождения. Они становятся враждебны нам вследствие определенных манер поведения или способов мышления. Тогда за такими людьми закрепляется понятие «недруги». Если же их отношение к нам вдруг резко изменяется на противоположное, — тогда они тут же становятся нашими друзьями. Таким образом, один и тот же человек может быть для нас сегодня врагом, назавтра — другом. Это кажется нелепым.

237

Отличайте личностные качества от сиюминутной манеры поведения. Никогда не проявляйте враждебности по отношению к кому-либо, а лишь по отношению к манере поведения или поступку. Не желайте зла самому человеку. Попытайтесь помочь ему исправиться, делайте ему как можно больше добра. Если вам удастся разубедить человека в правильности его поступков лишь благодаря проявлениям любви, то есть надежда, что этот человек в скором времени перестанет вызывать у вас враждебные чувства. Может быть, он даже станет вам другом.

238

Вы не должны терпимо относиться к проявлениям зла по отношению к себе и окружающим. Старайтесь побороть это зло, но не направляйте ваше негодование против того, кто причиняет вам страдание, не стремитесь ему мстить. Тогда ваше поведение не будет попыткой отыграться, ответив негодованием на негодование. В этом заключается истинное терпение. Невозможно дать справедливую отповедь под влиянием обуревающего неистовства. Так постарайтесь забыть о вашем неистовстве.

239

Не так давно, когда я был в Иерусалиме, мне пришлось стать свидетелем спора между израильскими и палестинскими студентами. В конце один палестинец попросил слова для того, чтобы сказать, что теперь, во время беседы, между ними разногласий нет, в то время как на улице все было совершенно иначе. Когда их задержала израильская полиция, они бесчинствовали и видели в израильтянах врагов. Он не знал, что делать. Они обсудили это и пришли к мысли о необходимости увидеть в противнике «образ Божий». Один из студентов объявил: «Каждый раз, когда вы сталкиваетесь лицом к лицу с человеком, причиняющим вам зло, каков бы он ни был, думайте о том, что этот человек воплощает образ Божий, и тогда ваш гнев утихнет сам собой». Не правда ли, хорошая мысль? Что касается меня, я нахожу ее прекрасной.

240

Кто-то написал мне, что каждый раз во время медитаций ему является образ Далай-Ламы, и что это приносит значительное умиротворение. Теперь в минуты гнева этот человек думает обо мне и его гнев утихает. Я не знаю, действительно ли мое фото обладает способностью усмирять гнев. (*Шутка.*) Я скорее склонен считать, что, если бы в моменты, когда нас внезапно охватывает ярость, мы вместо того, чтобы сосредотачивать все внимание на ком-то или на чем-то, что провоцирует наш гнев, думали о ком-то или о чем-то любимом, то наш разум обрел бы успокоение, по меньшей мере некоторое. Подумайте, например, о вашем возлюбленном или возлюбленной. Ваш разум обретет умиротворение, ибо, как говорят, «две мысли не могут возникнуть в одно мгновение». Ход наших мыслей спонтанно направляется по пути рассуждений о новом образе, — важно лишь, чтобы этот образ вызывал более сильный эмоциональный отклик. Тогда то, что составляло предмет наших прежних рассуждений, сотрется из нашей памяти.

241

Я часто повторяю, что, поддаваясь гневу, мы не только не можем убедить нашего противника в его неправоте, но, напротив, зачастую неизменно выставляем сами себя в неблагоприятном свете. Мы лишаемся душевного покоя, способности правильно оценивать собственные поступки, наш процесс пищеварения ухудшается, мы лишаемся сна, выгоняем посетителей, бросаем полные ненависти взгляды на любого, кто попадается нам на пути. Если у нас есть какое-нибудь домашнее животное, то мы забываем его покормить. Мы делаем невыносимой жизнь тех, кто находится рядом с нами, мы отдаляемся от наших самых близких друзей. Так как тех, кто сочувствует нам, становится все меньше и меньше, мы ощущаем себя все более и более одинокими. Что же касается нашего предполагаемого врага, то он может спокойно сидеть дома. Если в один прекрасный день соседи расскажут ему все, что им довелось увидеть или услышать, он от этого лишь развеселится. Если ему скажут: «Он по-настоящему несчастен, он потерял аппетит, на нем лица нет, его волосы всклокочены, он лишился сна, он вынужден принимать успокоительные средства. С ним никто не общается, даже его собака беспрестанно воет, не осмеливаясь к нему приблизиться», — он будет в восторге. Но если он узнает, что нас пришлось отвезти в больницу, — то его радости просто конца не будет!

РАЗМЫШЛЕНИЯ О НЕПРЕОДОЛИМОСТИ ЖЕЛАНИЙ

242

Любое наше желание подразумевает стремление к его удовлетворению. Если мы одержимы желанием и все время хотим большего, — то нам никогда не суждено достичь цели. Вместо вожделенного счастья мы обретем лишь страдание. В наши дни очень много говорят о сексуальной распущенности. Но когда мы предаемся беспорядочной и неумеренной половой жизни с единственной целью — достичь удовольствия, то мы не получаем длительного удовлетворения, а лишь создаем целую кучу проблем, отрицательные последствия которых — моральное страдание покинутого человека, разрушенные семейные пары, искалеченные жизни детей, венерические заболевания, СПИД, — слишком дорогая плата за короткие мгновения полученного удовольствия.

243

Отличительной особенностью нашей натуры является постоянное стремление достичь большего, даже тогда, когда кажется, что все наши желания удовлетворены. Тот, кто попадается в ловушку желания, похож на жаждущего, пытающегося напиться соленой морской водой: чем больше он пьет, тем сильнее его мучает жажда.

244

Все имеет пределы. Если мы стремимся разбогатеть, то, может быть, однажды нам удастся заработать много денег, но в один прекрасный день обстоятельства помешают планам нашего обогащения, и тогда мы останемся ни с чем. Чем стремиться к пределу, установленному свыше, лучше самому определять границы своих желаний. Так будем же стремиться к тому, чтобы умерить наши желания и научиться довольствоваться малым.

Действительно, часто наши желания могут стать источником бесконечных проблем. Чем их больше, тем более расчетливыми нам приходится быть и тем больше усилий приходится прикладывать для их разрешения. Когда-то один деловой человек сказал мне, что по мере того как он расширял свое производство, тем сильнее и настойчивее становилось желание расширять его и впредь. Чем больше усилий прилагал этот человек для претворения в жизнь своих планов, тем больше ему приходилось лгать и вступать в беспощадную борьбу с конкурентами. И он пришел к выводу, что постоянно стремиться достичь большего бессмысленно и что ему следует уменьшить масштаб своего производства для того, чтобы ослабить натиск конкурентов и дать себе возможность честно работать. Я посчитал, что его слова вполне справедливы.

Я не хочу сказать, что не следует вообще заниматься торговлей и прилагать усилия для достижения процветания. Экономический рост — прекрасная вещь. Он, в частности, позволяет дать рабочие места безработным; он благоприятно сказывается на нас, на других, на обществе в целом. Если бы все жили исключительно подаянием, подобно нищенствующим монахам, то в нашей экономике наступил бы развал, и мы все умерли бы с голоду! (*Шутка.*) Я точно знаю, как бы в этом случае поступил Будда. Он бы сказал монахам: «А теперь — все за работу!» (*Шутка.*)

Экономика не должна развиваться в ущерб человеческим ценностям. Необходимо придерживаться законных путей экономического развития и не жертвовать душевным спокойствием ради погони за прибылью. Если бы все на свете можно было подчинить стремлению к обогащению — для чего же в таком случае мы боролись за отмену рабства? Я считаю, что лишь стремление к благородным целям может быть единственным истинным оправданием прогресса.

РАЗМЫШЛЕНИЯ О ЗАВИСТИ

248

Зависть приносит нам несчастье и мешает нашему духовному развитию. Если же она проявляется в озлобленности, она наносит вред и окружающим. Это крайне отрицательное качество.

249

Зависть бессмысленна. Она не может помешать тем, к кому мы преисполнены завистью, зарабатывать еще больше денег или совершенствовать свои душевные качества, а лишь является сама по себе новым источником страдания. А что может быть позорнее, если это чувство настолько сильно, что заставляет нас завидовать успеху другого или покушаться на чужое богатство? Наша зависть однажды, несомненно, может обернуться против нас.

250

Зависть бессмысленна, ибо благосостояние общества в целом зависит от всех его членов. Если некоторые процветают, то общество от этого только выигрывает, и каждый из нас, в определенной мере, тоже. Если рядом с нами оказывается обеспеченный человек, вместо того чтобы предаваться гневу, подумаем о том, что это может быть благом для нас самих.

251

Если речь идет о любимом человеке или о человеке, зависимом от нас, то его успеху мы должны только радоваться. Даже если этот человек не пользуется нашим особым уважением, но его успех может принести пользу обществу — возрадуемся пуще прежнего. Ведь в одиночку мы не можем способствовать процветанию нашего края. Для этого необходимо единение усилий множества одаренных людей. Если человек, на которого направлена наша зависть, входит в число таковых, — то это чудесная новость.

252

Даже если предположить, что успех того, кто богаче или опытнее нас, способствует лишь его собственному процветанию — в чем мы выиграем, если будем задыхаться от бессильной зависти? Почему другой не должен иметь права владеть тем, к обладанию чем мы сами стремимся?

253

Есть и другое проявление зависти, которое мне представляется более оправданным, хотя и не менее пагубным. Это ревность, которую испытывает один из супругов, чье доверие было поколеблено по отношению к своей «половине». Представьте себе, что двое истинно любящих друг друга людей решили жить вместе, между ними царит взаимопонимание, они полностью доверяют друг другу, рожают детей, — и вот один из них заводит любовную связь на стороне. Легко можно догадаться, что другой будет недоволен.

Сам человек, объятый ревностью, может признавать долю своей ответственности. Кто-то мне рассказал, что он женился, но, по мере того как его отношения с женой становились более близкими и он лучше узнавал ее, он начал испытывать все возрастающую неприязнь, почти отторжение при мысли о том, что однажды они будут знать друг о друге почти все. Между ними начались распри, и женщина ушла к другому мужчине.

Его поведение показалось мне удивительным. Когда люди живут вместе, совершенно естественно, что они становятся все ближе и ближе друг другу. И чем люди ближе друг другу, тем меньше потребность скрывать что-либо друг от друга.

РАЗМЫШЛЕНИЯ О ВЫСОКОМЕРИИ

254

Главная отрицательная черта высокомерия состоит в том, что оно мешает нам стать лучше. Если вы думаете: «Я все знаю, я поистине совершенен», то вы больше ничему не сможете научиться, а это худшее из того, что может с вами случиться.

255

Высокомерие является также источником многих общественных проблем. Оно порождает чувство зависти, превосходства, пренебрежение, безразличие и часто приводит к злоупотреблениям, становясь причиной различных проявлений жестокости по отношению к окружающим.

Необходимо различать самоуверенность и уверенность в себе. Уверенность в себе — необходимое качество. Уверенность в себе позволяет нам в определенных ситуациях не терять смелости и внушить себе примерно следующее: «Я обязательно сумею добиться своей цели». В свою очередь, уверенность в себе отличается от чрезмерной уверенности, основанной на необъективной оценке наших возможностей и сложившихся обстоятельств.

Если вы считаете себя способным взяться за дело, которое другим не по плечу, то вас нельзя назвать самоуверенным человеком, в той степени, в которой вы способны объективно оценивать свои силы. Как если бы среди множества людей маленького роста, стремящихся схватить некий предмет, расположенный на недосягаемой для них высоте, вдруг появился какой-то великан и объявил: «Не утруждайте себя, я справлюсь лучше вас». Он всего лишь хотел сказать, что он считает себя более других приспособленным для выполнения этого исключительного задания, и совсем не ставил своей целью продемонстрировать свое превосходство над остальными людьми и желание унизить их.

Высокомерие никогда не оправданно. Оно происходит из низкой самооценки или временных, поверхностных достижений. Запомним эти отрицательные черты. Будем же сознательно относиться к нашим собственным недостаткам, к оценке наших реальных возможностей, осознавая, что, в общем, мы ничем не отличаемся от тех, над кем утверждаем свое превосходство.

РАЗМЫШЛЕНИЯ О СТРАДАНИИ

258

Есть люди, на долю которых выпало пережить трагические события. Они были свидетелями издевательств над своими родными и другими людьми, сами стали жертвами насилия, пыток. Образы прошлого даже спустя многие годы неотступно преследуют этих людей, часто опасающихся об этом рассказать. Помочь им нелегко. Тяжесть полученной душевной травмы и время, необходимое для полного исцеления, во многом зависят от общественных и культурных факторов. Немаловажную роль может сыграть и религия. В частности, я думаю о жителях Тибета, которые смогли противостоять трагическим обстоятельствам во многом благодаря тому, что сумели сохранить свою приверженность буддизму.

259

Если жертвы достаточно великодушны для того, чтобы прощать, и если их мучители, палачи, убийцы способны осознать всю громадность масштабов своих злодеяний, и если они ощущают свою вину и стремятся к покаянию, то их встреча может быть благоприятной. Она даст возможность палачу признать свои ошибки и выразить искреннее раскаяние, а жертве — счастливую возможность хоть в незначительной степени облегчить чувство внутренней обиды. Если палачи и их жертвы способны найти пути к примирению — что может быть лучше?

260

Часто жертвами серьезных расстройств становятся не только непосредственные участники трагедий. Страдают также и те, кто явился причиной страданий других. Некоторые солдаты, я, в частности, имею в виду ветеранов войны во Вьетнаме, постоянно воскрешают в своей памяти совершенные ими бесчинства и жестокости. Даже спустя много лет они еще видят во сне кошмарные картины массовых убийств, взрывы, нагромождения обезображенных обезглавленных тел, причиняющие им немало страданий.

261

Довольно часто люди, болезненно пережившие подобные потрясения, испытывают крайний недостаток дружеской поддержки и искреннего участия со стороны окружающих. Доброе отношение, бескорыстие, сострадание тех, кто рядом, способны значительно облегчить страдания таких людей. Но довольно часто пострадавшие оказываются обреченными на одиночество, ибо в современном обществе ощущается нехватка людей, способных к состраданию.

Тем не менее помочь жертвам потрясений, вызвать этих людей на откровенный разговор, будь то в группах или поодиночке, использовать различные способы облегчения их душевных страданий вполне возможно. Убедим их, что они не одни, что есть много людей, находящихся в таком же положении, как и они, и людей, сумевших побороть свое отчуждение. Расскажем им о страданиях и психологических травмах и потрясениях, которые нам самим довелось пережить, и о том, как нам довелось помочь себе выжить.

262

Разумеется, не следует ограничиваться лишь некоторыми теоретическими рассуждениями или отдельными психологическими рекомендациями. Необходимо стремиться к открытому выражению своих определенных намерений. Важно запастись терпением, уметь выждать в течение необходимого времени. Человеку, страдающему от глубокого душевного потрясения, недостаточно лишь нескольких обращенных к нему слов утешения.

263

Жизненный опыт убеждает в том, что люди, выросшие в доброжелательной обстановке и сумевшие в полной мере развить заложенные в своей натуре человеческие качества, значительно более устойчивы к различным потрясениям. Напротив, те, кто воспитывался в конфликтной недружелюбной обстановке, гораздо чаще испытывают отрицательные эмоции и значительно дольше и болезненнее переживают полученные душевные травмы.

264

Так же как крепкое телосложение помогает нам активнее сопротивляться болезням и быстрее выздоравливать, так и душевное здоровье помогает нам легче переносить трагические потрясения или воспринимать дурные известия. Если наш дух слаб, то такие события способны оставить более ощутимый и более глубокий след в нашей душе.

Это не означает, что наши страдания на протяжении жизни предопределены с самого рождения. С помощью духовных практик всегда можно совершенствовать свое внутреннее психологическое состояние. Но повторю еще раз, что определяющая роль в процессе нашего самосовершенствования принадлежит образованию, семейному окружению, обществу, вероисповеданию, внешним источникам информации.

265

Если в вашей жизни произошла трагедия, то постарайтесь осознать, что ваше беспокойство и терзания способны лишь усугубить ваше совершенно бесполезное страдание. Поделитесь вашими переживаниями, выплесните их наружу, не пытайтесь утаить их из осторожности или стыдливости и скажите себе, что теперь, когда все отрицательные переживания давно остались в прошлом, нет совершенно никакой необходимости брать их с собой в будущее. Попытайтесь по возможности сосредоточить ваши мысли на светлых моментах вашей жизни.

Поразмышляйте и над тем, что явилось причиной ваших страданий. Те, кто причиняет зло другим, одержимы тремя разрушающими духовными началами — неведением, ненавистью и несдержанностью, — не позволяющими им контролировать свои мысли. Мы все одержимы этими тремя разрушительными страстями. Если они преобладают в нашей натуре, то мы становимся гораздо более склонными к необдуманным поступкам. Напротив, вполне допустимо, чтобы преступник, сумев обуздать в себе свои отрицательные эмоции, смог в один прекрасный день почувствовать себя порядочным человеком. Нам не следует выносить категоричные суждения о людях.

Иногда под влиянием сиюминутного устремления или внезапно возникших обстоятельств мы способны совершать поступки, на которые не решились бы в обычном состоянии. Поддавшись ложным позывам таких идеологических течений, как расизм или национализм, некоторые, не будучи по природе своей преступниками, совершают потрясающие своей бесчеловечной жестокостью деяния. Подумаем об этом, когда другие причиняют нам зло. Мы будем вынуждены прийти к заключению, что причиной нашего страдания является целая совокупность внешних обстоятельств, ответственность за которые невозможно возложить на одного человека, на роковое стечение обстоятельств. Мы сможем взглянуть на проблему с другой точки зрения.

РАЗМЫШЛЕНИЯ О ЗАСТЕНЧИВОСТИ

268

Случается, что в присутствии посторонних людей мы стараемся держаться нарочито скромно или намеренно отстраненно. Такое поведение нелогично. В действительности же у нас нет никаких оснований опасаться контактов с другими людьми. Достаточно лишь признать, что они — такие же живые существа, как и мы, с теми же устремлениями и теми же нуждами — и тогда нам становится легко преодолеть холод отчуждения и завязать разговор.

269

Когда я встречаю незнакомого человека, я прежде всего говорю себе, что он — такой же человек, как и я, так же стремящийся быть счастливым и избежать страдания. Неважно, сколько ему лет, какого он роста, какого цвета его кожа, какое общественное положение он занимает. По сути, между нами нет никакой разницы. В таких условиях я могу быть с ним абсолютно откровенен, как с членом моей семьи, — и от робости не остается ни малейшего следа.

270

Причиной застенчивости часто является неуверенность в себе и чрезмерная привязанность к общественным нормам. Мы становимся заложниками того идеального образа, который хотят видеть в нас другие. Речь идет о надуманном поведении, но тем не менее наши природные стереотипы поведения часто дают о себе знать. Когда мы ощущаем острую необходимость опорожнить мочевой пузырь, мы, конечно, можем сделать вид, что ощущаем себя абсолютно комфортно, но так не может продолжаться вечно!

Причиной робости может быть также стремление защитить себя, происходящее от чрезмерной сознательности. Но парадоксально то, что чем больше мы стремимся защитить себя, тем меньше наша уверенность в себе, и тем более робкими мы становимся. Напротив, чем более непринужденно мы ведем себя, проявляя любовь и участие, тем меньше мы сосредоточены на себе и тем увереннее мы себя чувствуем.

РАЗМЫШЛЕНИЕ О НЕРЕШИТЕЛЬНОСТИ

272

В жизни нам всем необходима хоть небольшая смелость для того, чтобы делать выбор. Но, так как принимать поспешные решения нецелесообразно, необходима некоторая осмотрительность и время для того, чтобы иметь возможность правильно оценить ситуацию или же попросить совета у людей, обладающих большим опытом, нежели мы. Иными словами, в определенном смысле осмотрительность даже полезна. Но, однажды взвесив все «за» и «против», нужно обладать достаточным мужеством для того, чтобы принять решение, с какими бы возможными проблемами нам ни пришлось при этом столкнуться.

Я признаюсь, что я далеко не всегда следую своим собственным советам. Случалось, что во время моих встреч с членами Касага (кабинет министров Тибетского правительства в изгнании) мне приходилось принимать решение по какому-либо злободневному вопросу, после обеда моя позиция менялась, и я говорил себе: «Мне бы следовало принять иное решение!» (*Шутка.*) Значит, я не могу посоветовать ничего дельного!

РАЗМЫШЛЕНИЯ О САМОУНИЧИЖЕНИИ

273

Самоуничижение — крайне отрицательное качество. Если взглянуть на проблему чуть менее поверхностно, то можно заметить, что эта ненависть к самому себе по сути есть результат слишком высокого мнения о себе. Мы стремимся любой ценой быть лучшими и не выносим, если в нашем идеальном облике отсутствует хоть какая-то, пусть даже самая незначительная деталь. По сути, такое презрение к себе является формой высокомерия.

274

Когда я впервые услышал о самоуничижении, я был крайне удивлен. Я стал задаваться вопросом, как можно ненавидеть самого себя. Все живые существа любят себя, даже животные. Поразмыслив, я сказал себе, что это всего лишь форма проявления болезненно обостренного самолюбия.

275

Все кажется ясным. Не испытывая доброжелательного отношения к самому себе, невозможно быть доброжелательным с окружающими. Чтобы испытать чувство любви, нежности к другим людям, желать, чтобы они были счастливы и по возможности избегали страдания, вначале необходимо признать, что мы испытываем те же чувства по отношению к самим себе. Тогда мы поймем, что наши устремления совпадают с устремлениями тех, кто нас окружает, и станут возможными любовь и сопричастность. Когда мы сами себя ненавидим, мы не в состоянии любить других. И если мы не приложим никаких усилий для того, чтобы изменить наше отношение, то у нас очень мало возможностей обрести внутреннюю радость и душевное равновесие.

Мы сами губим себе жизнь, и это глупо. Может быть, мне не следовало бы так говорить, но тем не менее это правда.

276

Чтобы побороть склонность к самоуничижению, осознайте, что ваше мнение о себе ложно, и постарайтесь развивать в себе подлинное доверие, основанное на признании ваших основополагающих душевных качеств. Будьте великодушны и уделяйте больше внимания тем, кто вокруг вас.

РАЗМЫШЛЕНИЯ О ПРИСТРАСТИИ К СПИРТНЫМ НАПИТКАМ И ЗЛОУПОТРЕБЛЕНИИ НАРКОТИЧЕСКИМИ ВЕЩЕСТВАМИ

277

Те, кто злоупотребляет спиртными напитками или наркотиками, в большинстве случаев отдают себе отчет в том, что губят себя, но не находят в себе достаточно решимости, чтобы остановиться. Это отсутствие решимости, как проявление незащищенности от травм, о которой мы говорили выше, часто является нашей личностной характеристикой.

278

Все знают, что употребление наркотических веществ пагубно влияет на здоровье и ясность ума. Даже если они на какое-то время помогают справиться со страхом или преодолеть угнетенное состояние, они не могут избавить нас от страданий. Они могут лишь скрыть их. Чтобы превозмочь страдание, нужно сначала распознать его, выяснить его природу и истинные причины, что в состоянии наркотического дурмана сделать невозможно.

279

В одном документальном фильме на канале ВВС я услышал, что русские считают удовольствие, получаемое от наркотика, гораздо превосходящим сексуальное удовлетворение, которое у человека, как и у животных, всегда считалось наиболее сильно выраженным. Все осознают мощную способность этих веществ давать нам забвение наших волнений, в состоянии которых мы и прибегаем к наркотикам. Но каким же образом забвение и помутнение рассудка помогут нам освободиться от проблем? Я часто в шутку говорю, что наш рассудок и так в значительной степени находится под властью заблуждений, так зачем же их усугублять?

280

Самообразование, поддержка близких и объективный анализ отрицательных последствий пристрастия к наркотикам смогут помочь вам обрести силу, необходимую для действий. Вместо того чтобы стремительно бросаться на поиски вымышленного призрачного счастья, неизменно ведущего к страданию, старайтесь воспитывать в себе внутреннее равновесие и душевное спокойствие, которые не зависят ни от обстоятельств, ни от влияний извне. Как я уже говорил об этом в своих рассуждениях о молодости, опирайтесь на присущие вам внутренние качества, доверяйте вашей собственной природе, научитесь самостоятельно держаться на ногах. Будьте как можно более открытыми по отношению к другим. Я убежден, что внутренняя решимость ценится столь же высоко, сколь и любовь к ближнему.

РАЗМЫШЛЕНИЯ О ЛЮБОВНОЙ ПРИВЯЗАННОСТИ

281

В общем, признаки плохого и хорошего, прекрасного или безобразного, которыми мы наделяем живых существ или предметы, определяются степенью их привлекательности для нас. Мы называем «хорошим» то, что нам нравится, и «плохим» — то, что нам не нравится. Это суть порождения нашего мышления. Если бы красота была изначальным свойством, присущим самому предмету, то мы бы неизбежно чувствовали влечение к одним и тем же одинаковым людям или предметам.

Сексуальное влечение, объединяющее и обостряющее все наши чувства, может оказать на нас довольно сильное воздействие, способное значительно изменить наши способы восприятия. Когда нас охватывает любовная страсть, возлюбленный или возлюбленная кажутся нам воплощением непреходящего полного подлинного совершенства, существом, достойным вечной любви. Каждая черта индивидуальности обладает необычайной аурой. Мы не представляем себе жизни без любимого или любимой. К сожалению, так как в природе все постоянно подвержено изменениям, то, что нас восхищает, со временем теряет свою привлекательность, иногда даже из-за незначительного жеста или случайного слова. Еще хуже, если мы вдруг узнаем, что человек, который в наших глазах являлся воплощением совершенства, любит кого-то другого. Тогда он может внезапно превратиться в существо, достойное лишь презрения.

283

Если такое увлечение слишком обременительно для вас, то попытайтесь неторопливо оценить ваше отношение с различных точек зрения. Подумайте о том, что все в этом мире претерпевает изменения и что полезное и приятное суть вымышленные характеристики, порожденные нашим сознанием. Эти размышления, несомненно, помогут вам изменить свою точку зрения. Иногда достаточно спросить у вас, как вы отнесетесь к человеку, которого вы любите, узнав, что возлюбленный изменяет вам, или попросить вас представить себе, что ваш любимый или любимая совершили поступок, не соответствующий вашему идеальному представлению.

284

Будем отличать настоящую любовную привязанность от увлечения. Истинное чувство любви в своем совершенном воплощении не подразумевает ответной любви и не зависит от обстоятельств. Степень любовной привязанности, напротив, может изменяться по воле событий и под влиянием душевного настроя.

285

Что касается чувства любви, сила которого в большей или меньшей степени зависит от сексуальной привлекательности, то оно может быть подлинным и неизменным лишь в том случае, если при выборе своего спутника мы будем обращать внимание не только на его внешнюю привлекательность, но и на уровень образованности и степень взаимного уважения.

РАЗМЫШЛЕНИЯ О НЕОБДУМАННЫХ ПОСТУПКАХ

286

Часто случается, что наше восприятие реальности не соответствует действительности, и мы, не желая лгать, выражаем его в наших суждениях. В Тибете рассказывают историю одного человека, которому посчастливилось поймать рыбу огромного размера и у которого интересовались, какого же размера она была. Он, подкрепляя слова жестами, отвечал, что рыба действительно была огромна. Другие настаивали, требуя уточнить, какого размера в точности была рыба. Тогда размер становился уже скромнее. А если серьезно — так какого же размера все-таки была рыба? На этот раз рыба решительно становилась маленькой. Нельзя утверждать, что тот человек лгал с самого начала. Он просто не придавал значения тому, что сам говорил.

Это кажется невероятным, но встречаются люди, которые постоянно выражают свои мысли почти так же. Жители Тибета привычны к этому. Когда они что-нибудь рассказывают, им нет надобности приводить доказательства, ибо никто и не пытается узнать, откуда и каким способом человек узнал ту или иную новость. Людям, у которых есть такая склонность, следует уделять больше внимания своим словам.

287

В некотором смысле немногословие можно считать достоинством, в особенности тогда, когда нам нужно сказать нечто важное. Речь — одна из основных отличительных способностей, которой наделены представители рода человеческого. Понятия и слова, которыми мы пользуемся, создают искусственное одностороннее представление о вещах, тогда как предметы, которые определяются словами, обладают бесчисленным количеством постоянно изменяющихся граней, что порождает в свою очередь неисчислимое количество причинно-следственных связей. Когда мы даем название какому-либо аспекту реальной жизни, мы мысленно упраздняем все остальные и определяем избранный предмет только к нему относящимся словом, позволяющим распознать его. Затем, в зависимости от того, для чего предназначен объект, мы выбираем отличия: вот этот хорош, а этот — плох, и так далее, тогда как в действительности невозможно наделить присущими только ему свойствами что бы то ни было. Из этого проистекает определенное, в лучшем случае предвзятое, а в худшем — совершенно искаженное — видение реальности. Как бы ни был богат человеческий язык, его реальные возможности очень ограниченны. И только объективный опыт позволяет познать истинную природу вещей.

С этой проблемой расхождения между понятием и реальностью нам приходится сталкиваться во многих областях нашей жизни, например, в политике. Политические деятели предлагают простые способы решения сложных проблем, возникших под влиянием многочисленных факторов. Политики поступают так, словно рассчитывают найти решение возникающих проблем с помощью определений и понятий, например, таких, как марксизм, социализм, либерализм, протекционизм, и других. Среди массы причин и условий, повлиявших на возникновение данной ситуации, они выбирают одно или два, не принимая во внимание множество остальных. Таких людей никогда невозможно по-настоящему привлечь к ответу, и виной тому — множество недоразумений. По моему мнению, это и является основной причиной всех проблем. К сожалению, мы вынуждены уделять внимание словам и понятиям — иного выбора у нас нет.

Лучше использовать речь тогда, когда это необходимо. Много говорить тогда, когда в этом нет
насущной необходимости, — это все равно, что
выращивать разные сорные травы в собственном
саду. Разве мы не стремимся к тому, чтобы их
было как можно меньше?

РАЗМЫШЛЕНИЯ О ЗЛОСЛОВИИ

290

Вообще, если кто-либо критически настроен по отношению ко мне, даже норовит оскорбить меня, я охотно принимаю его критику, лишь бы она была благожелательной. Если мы замечаем чью-либо ошибку, но тем не менее говорим ему, что все хорошо, — такая «помощь» совершенно бессмысленна. Если мы скажем ему, что в его проступке нет ничего серьезного, — но тут же злословим за его спиной, — это тоже нехорошо. Скажем человеку то, что мы о нем думаем, ему в лицо. Постараемся прояснить то, что необходимо нуждается в пояснениях. Отделим истину от неправды. Если мы сомневаемся, поделимся нашими сомнениями. Даже если наши слова покажутся жесткими — найдем в себе силы произнести их. Мы придадим нашим словам ясности, и исчезнет повод для пересудов. Если же мы будем прибегать лишь к слащавым любезностям, то сохранятся основания для ложных слухов. Лично я предпочитаю откровенность и прямоту.

291

Однажды кто-то сказал мне: «Как говорил Мао Цзэдун, необходимо обладать мужеством для того, чтобы мыслить, для того, чтобы говорить, и для того, чтобы действовать». Действительно, необходимо уметь мыслить для того, чтобы работать и что-либо предпринимать. Мы также должны смело выражать свои мысли и воплощать их в поступках. Если мы ничего не предпринимаем, то никакое развитие и исправление ошибок невозможно. Но в то же время необходимо отдавать себе отчет в том, что из того, что мы намереваемся сказать или совершить, можно извлечь пользу.

292

Если мы причиняем человеку своими словами или поступками страдание или наносим обиду, прикрываясь самыми благими намерениями, — такой избранный нами чрезвычайно жестокий способ окажется совершенно бесполезным. Может быть, для этого человека важнее смиренная ложь во спасение!

293

В буддистской духовной практике Хинаяны[1] обозначены семь неблаговидных поступков и слов — убийство, кража, распутное поведение, ложь, клевета, жестокость и непоследовательность. Напротив, в буддизме Махаяны[2] даже такой неблаговидный поступок, как убийство, может считаться оправданным, если он совершен во имя благоденствия окружающих и не обусловлен никаким эгоистическим желанием.

---

[1] См. примечание на с. 51.

[2] Там же.

Я считаю, что необходимо всегда стремиться говорить правду. Это может оказать положительное влияние даже тогда, когда истина выражена в довольно жесткой форме. Но нужно стараться избегать критиковать или обидеть кого-либо, каким бы то ни было способом — будь то пагубным намерением или пренебрежительным отношением. В этом случае наши слова принесут лишь страдание, что неблагоприятно отразится на нашем состоянии и на обстановке в целом, создав удушающую атмосферу.

РАЗМЫШЛЕНИЯ
О ЖЕСТОКОСТИ

295

Мы часто становимся причиной чужих страданий по собственному неведению, не догадываясь о душевных муках окружающих нас людей. Например, мы редко осознаем, что животные тоже способны испытывать наслаждение или страдание. Мы не можем понять и истинной причины страданий наших сородичей, если мы не переживаем страданий сами. В самом деле — ведь страдают они, а не мы. И только говоря себе: «Когда меня избивают, когда меня оскорбляют, я испытываю страдания, подобные страданиям того-то и того-то...», мы можем помочь себе представить, что они чувствуют.

296

Некоторые совершенно не задумываются о последствиях своих слов или деяний для окружающих. Они считают, что главное — это их возможность удачного решения проблемы в собственную пользу. Это происходит опять же из-за недостаточной сознательности. Чем больше страданий мы причиняем другим, тем больше причин для нашего собственного мучения. Кроме того, причиняя страдания другим, мы причиняем сами себе двойное страдание.

297

Если мы совершили по отношению к кому-либо неблаговидный поступок — раскаемся в этом. Найдем в себе силы признать собственные ошибки, не предаваясь мыслям о том, что, совершив проступок, мы исключили для себя возможность возврата к полноценной жизни. Не будем стремиться забыть наш проступок, но не позволим себе самоуничижаться и терзаться угрызениями совести. Не будем казаться безразличными, дабы сделать вид, что стремимся все забыть. Постараемся простить сами себя: «Я совершил оплошность в прошлом, но это больше не повторится. Я человек и способен сам отвечать за свои поступки и загладить свою вину». Если мы отчаялись, значит, мы не простили себя.

298

Постараемся найти возможность встретиться с тем, или с той, кому мы нанесли обиду. Скажем им искренне: «Я был к вам несправедлив, я причинил вам много зла, простите меня». Если он примет наше раскаяние и не будет хранить в душе обиду, — разве это не соответствует тому, что в буддизме принято называть «искупительной исповедью»?

299

Для этого совсем необязательно придерживаться религиозных воззрений. Достаточно лишь протянуть руку тому, кому мы причинили страдание, признать свою вину, выразить свое искреннее сожаление — и загладить обиду. Разумеется, для того, чтобы это стало возможным, необходимо взаимное стремление к душевной открытости с обеих сторон.

300

Я не считаю, что человеку от рождения свойственно желание творить зло. Мы не одержимы этим желанием с самого момента появления на свет. Оно в нашем сознании возникает впоследствии. Гитлеру пришла мысль считать евреев никчемными существами, которых необходимо уничтожать, и эта мысль затмила все остальные и уничтожила всякую способность к состраданию.

301

Всякое враждебное отношение к окружающим спекулятивно. Согласно канонам буддизма, это явление рассматривается как вымышленное, искусственное, надуманное по отношению к тому, что существует на самом деле. Появляется мысль, которая кажется правильной, ей придают большое значение, на ее основе разрабатывают целую программу действий и осуществляют ее, не задумываясь о страданиях, причиняемых окружающим.

302

Чтобы убедить тех, кто таким образом попадается в плен собственных заблуждений, изменить свое отношение, вначале нужно обратиться к их основным человеческим качествам и попытаться разубедить, насколько возможно, в правильности их воззрений. Только тогда можно с успехом попытаться их вразумить. Если наши усилия тщетны, остается лишь действовать силой. Но не всякой силой: даже если окружающие совершили тяжкие преступления, они все равно заслуживают человечного отношения к себе. Если мы стремимся к тому, чтобы в один прекрасный день их воззрения изменились, — это единственный возможный способ достичь нашей цели.

303

Любовь — это главнейшая возможность совершенствовать живые существа, даже если они преисполнены негодованием или ненавистью. Постоянно проявляйте любовь, неизменно, неустанно — и вы сможете победить их. Это требует много времени. Необходимо обладать неистощимым терпением. Но если ваши намерения искренни и если ваша любовь и сострадание неизменны, то вы непременно добьетесь своего.

РАЗМЫШЛЕНИЯ
О РАВНОДУШИИ

304

Равнодушие, особенно по отношению к другим, — один из самых худших пороков, какие только существуют. Думать только о себе и не интересоваться тем, что происходит с теми, кто нас окружает, с нашими ближними — это признак умственной ограниченности, крайней узости мышления, духовной пустоты.

305

С самого момента появления на свет мы зависимы от других. Счастье и будущее всего мира, все блага, которыми мы обладаем, любой предмет, которым мы пользуемся, даже наше элементарное выживание каждый день являются результатом людского труда. Разумеется, молитвы и духовные практики тоже играют немаловажную роль, но все же основным средством созидания мира является человеческий труд.

306

Все предметы и явления, существующие в этом мире, связаны между собой отношением взаимозависимости. Мы не найдем ничего, существующего само по себе и только для себя. Поэтому невозможно рассматривать свой личный интерес без учета интересов других.

307

Все, что мы делаем, каждое мгновение порождает новые обстоятельства, которые, в свою очередь, способствуют возникновению новых жизненных ситуаций. Что бы мы ни делали, мы вольно или невольно включены в цепочку причинно-следственных связей. Так же и наши будущие лишения и радости определяются совокупностью причин и условий в настоящем, даже если мы и не осознаем всей сложности этого сплетения. Таким образом, на нас возложена ответственность как по отношению к самим себе, так и по отношению к окружающим.

308

Равнодушный человек, не заботящийся о благополучии других и не задумывающийся над истоками своего собственного счастья, создает свои несчастья собственными руками.

ЧАСТЬ ПЯТАЯ

РАЗМЫШЛЕНИЯ О ДУХОВНОЙ ЖИЗНИ

РАЗМЫШЛЕНИЯ, ОБРАЩЕННЫЕ К ВЕРУЮЩИМ

309

Каждый из нас волен веровать или не веровать. Но с момента, когда вы обретаете веру и следуете ее канонам, стремитесь придавать ей большое значение и избегайте непостоянства в вере. Не совершайте случайных поступков и старайтесь, чтобы ваши мысли соответствовали вашим словам.

310

Некоторые думают: «Если я исповедую буддизм, то я должен быть способен жить полноценной и совершенной жизнью, иначе я отказываюсь исповедовать эту веру». Такое отношение наиболее распространено на Западе. К сожалению, очень трудно достичь совершенства за один день.

311

Только в постоянном самосовершенствовании можно достичь поставленной цели — разве не это главное? Не говорите себе: «Не важно, исповедую я веру или нет, исполняю ли я обряды — это не имеет никакого значения, мне никогда не суждено добиться успеха в жизни». Поставьте перед собой цель, приложите все силы и средства для ее достижения — и постепенно вы придете к ней.

312

У каждого свои природные склонности и свои устремления, и то, что приемлемо для одних, совсем необязательно приемлемо для других. Об этом надо помнить всякий раз, когда мы высказываем свои суждения о других религиях или духовных практиках. Их многочисленность и существующие между ними различия соответствуют многочисленным различиям характеров, и даже если мы не придерживаемся такой точки зрения, то мы все равно должны понимать, что большое количество людей обрели и продолжают обретать в вере неоценимую поддержку. Будем же помнить об этом и стараться признавать заслуги всех религий. Это чрезвычайно важно.

313

Все верования основаны на характерных для них обрядах. Но, кроме обрядов, существуют еще и более фундаментальные принципы. Например, основной практикой буддизма является усмирение духа. Но так как это довольно сложная задача, требующая исключительного упорства, многие из нас придают воспитанию духа второстепенное значение. С одной стороны, они верят в каноны буддизма. Но с другой стороны, они не способны пойти в своей вере до конца. Они ограничиваются лишь выполнением обрядов, поверхностными проявлениями религиозности, и не придают большого значения духовным текстам.

В тибетских обрядах очень любят использовать барабаны, колокольчики, цимбалы и другие музыкальные инструменты. Случайные люди говорят: «Вот люди, которые исповедуют буддизм!» Но в действительности эти люди придают мало значения размышлениям, помогающим рассудку освободиться из оков призрачного мира, размышлениям, открывающим духу сущность любви, сострадания, восхождения к состоянию высшего Просветления — этим основополагающим практикам, которым следовало бы отдавать все силы. Разве же это не так?

Во всяком случае это лишь означает, что мы внутренне не изменились, оставшись такими, как все.

314

Религии немного напоминают лекарства. Лекарства проявляют свою эффективность, когда мы больны, а не когда мы пребываем в добром здравии. Когда мы чувствуем себя хорошо, мы не предлагаем их другим со словами: «Вот это превосходное средство, вот это стоит дорого, а вот это — великолепного цвета!» Как бы они ни выглядели внешне, их единственное назначение — исцелять от болезней. Если в данный момент они не приносят облегчения, то совершенно бесполезно покупать их пачками.

Так же и религия или духовная практика должны быть полезными в тот момент, когда наш разум находится на перепутье. Если мы демонстрируем нашу веру в момент, когда у нас все хорошо, уподобляясь большинству смертных перед лицом трудностей, — зачем это?

315

Важно прочно и разумно усвоить полученные теоретические и практические знания, дабы применять их в повседневной жизни. Этому нельзя научиться внезапно. Это приходит постепенно, в процессе занятий.

РАЗМЫШЛЕНИЯ О НЕВЕРИИ

316

Людей, не придерживающихся никакой веры, очень много. Это их право, и никто не может заставить их изменить свою точку зрения. Важно лишь, чтобы их жизнь имела смысл, то есть, по сути, чтобы они были счастливы. Чтобы они были счастливы, но не в ущерб окружающим. Если наше счастье построено на несчастье другого, то мы рано или поздно обречем себя на страдание.

317

Максимальная продолжительность жизни — приблизительно около ста лет. По сравнению с эрами геологической истории, это очень короткий промежуток времени. Если мы на протяжении отпущенного нам срока совершаем зло, то наша жизнь лишается всякого смысла. Все имеют право быть счастливыми, но никому не дано права разрушать счастье другого. Целью человеческой жизни ни в коем случае не может быть причинение страдания кому бы то ни было.

318

Даже если мы достигаем вершин познания или богатства, но не придаем значения уважению и состраданию к ближнему, наша жизнь не будет достойна человеческого существа. Жить счастливым, причиняя как можно меньше зла, — вот на что имеют право все люди и к достижению чего стоит стремиться.

319

Для большинства из нас счастье заключается в обладании материальными благами. Тем не менее ясно, что эти блага сами по себе не способны доставить нам истинное удовлетворение. Достаточно посмотреть вокруг. Можно заметить, что люди, окруженные всеми мыслимыми удобствами, принимают успокоительные средства или приобретают пристрастие к пьянству, стремясь заглушить свою тревогу. Напротив, есть люди, которые, не имея ничего, счастливы, умиротворены, они живут в добром здравии до глубокой старости.

320

Повторим, что важнее всего не сиюминутное грубое чувственное удовлетворение, а удовлетворение духовное. Вот почему быть добрым, помогать другим, сдерживать свои желания, не роптать на судьбу — все это касается не только тех, кто исповедует какую-либо религию. Я не рассматриваю это как средство угодить Богу или обеспечить себе достойное перерождение. Я говорю о том, что без этого не может обойтись ни один человек, стремящийся к обретению душевного спокойствия.

321

По мере экономического и технического развития мы ощущаем все более и более тесную связь и зависимость друг от друга. Все, что мы делаем, рано или поздно оказывает влияние на остальных людей. Состояние общества, в свою очередь, находит отражение в понятиях счастья или несчастья, индивидуальных для каждого. Уже невозможно, как прежде, довольствоваться ограниченным взглядом на вещи, принимать в расчет одну-единственную составляющую, одну-единственную причину, один-единственный фактор. В наши дни любую ситуацию следует оценивать с разнообразных точек зрения.

322

Я не призываю к отречению от своего счастья ради счастья других людей. Я говорю о том, что наше счастье и счастье тех, кто нас окружает, неотделимы друг от друга. Если мы проявляем заботу о спокойствии и счастье всех людей на этой Земле, так будем учиться смотреть на вещи более широко и уделять достаточное внимание жизненным проявлениям каждого.

323

Землю населяют примерно шесть миллиардов человек. В числе этих шести миллиардов значительная часть больше всего интересуется материальными благами и совсем не проявляет интереса к религии или духовной жизни. Люди, чуждые веры, таким образом, составляют большинство человечества, и их мысли и поступки, следовательно, исподволь играют основополагающую роль в развитии человечества. К счастью, для того, чтобы вести себя по-человечески, совсем необязательно исповедовать какую-либо веру, достаточно быть просто человеческим существом!

324

Даже животные, склонные к общественным формам поведения, привлекают тех, кто их окружает, тогда как агрессивно настроенные животные заставляют их спасаться бегством. Часто можно видеть злых собак, от которых другие, даже более крупные собаки предпочитают держаться подальше.

Еще в большей степени это относится к людям. Разумеется, у тех, кто умеет владеть собой, чьи мысли благожелательны и чьи слова приятны, много друзей. В их обществе чувствуешь себя непринужденно, и даже животные тянутся к ним. Где бы они ни находились, такие люди создают вокруг себя такую приятную атмосферу, что с ними не хочется расставаться.

325

Напротив, когда мы не контролируем ход наших мыслей, наши агрессивные побуждения и жестокие поступки, то окружающие избегают нас и ощущают себя неловко при общении с нами. Их не интересует, что мы хотим им сказать, отворачиваются от нас, когда мы изъявляем желание вступить в разговор. Как же они могут радоваться или испытывать счастье в нашем обществе? Наша жизнь становится невыносимой, не правда ли?

326

Хотя нас на Земле так много, каждый из нас видит только самого себя. Мы зависим от других, добывая себе пропитание, одежду, ища свое место в жизни, стремясь к славе, и все же враждебно относимся к людям, с которыми так тесно связаны. Разве в этом не заключено удивительное противоречие?

Часто достаточно лишь в мыслях и поступках
проявлять заботу о других, для того, чтобы
в этой жизни — я не говорю о будущих жиз-
нях — мы были счастливы и наслаждались внутренней гармонией; для того чтобы всякий раз,
когда мы сталкиваемся с трудностями, рядом
с нами был кто-то, кто утешил бы нас словом
и пришел на помощь; для того чтобы наши враги
стали нашими друзьями.

Когда мы думаем только о себе и враждебно
относимся к окружающим, видя в них врагов, мы
сталкиваемся с нелепыми трудностями, ответственность за возникновение которых лежит на
нас самих. И даже если жизнь в современном
обществе немыслима без соревнования, то мы
можем сделать все для того, чтобы быть лучше
других, — но не за счет других.

РАЗМЫШЛЕНИЯ
О СВЯЩЕННИЧЕСТВЕ
И МОНАШЕСТВЕ

328

Большинство монахов отрекаются от семейной жизни. Многие религии придают важное значение безбрачию по различным причинам. Согласно буддизму, для того чтобы достичь Просветления, необходимо вначале освободиться от всего того зла, которое развращает нашу душу, начиная с первопричины. Иными словами, самое главное из этих зол, наиболее прочно удерживающее нас в круге сансары, в круге перерождений — это желание. Если мы попытаемся изучить двенадцать взаимозависимых связей, составляющих этапы нашего погружения в сансару, то мы поймем, что без желания и его реализации карма прошлого теряет свою силу.

Среди различных форм желания сексуальное влечение является наиболее сильным, ибо подразумевает внезапное ощущение влечения всеми пятью чувствами: форма, звук, запах, вкус и прикосновение. Именно поэтому, если мы стремимся обуздать желание, мы стараемся прежде всего искоренить самое жгучее. Затем мы стремимся умерить наши остальные желания, начиная с самых низменных и кончая самыми возвышенными. Усмиряя таким образом желание и воспитывая в себе умеренность, мы продвигаемся по пути самоотречения. Так рассматривает это явление буддизм. Что же касается других верований, то в каждом это явление объясняется по-своему.

330

С практической точки зрения монашеские обеты, призывающие к безбрачию, служат средством освобождения для тех, кто считает брачные узы обременяющими. Монахини и монахи, имеющие возможность удалиться от мира, в глазах других выглядят беззаботными. Они не тратят много денег на одежду, и их материальные расходы сводятся к минимуму.

331

Будучи связанными узами брака, мы являемся, хотим мы того или нет, пленниками некоторых возложенных на нас общественных обязательств. Наши расходы намного выше, чем у человека, который живет один; чем более возрастают наши расходы, тем больше нам нужно работать, рассчитывать и планировать наши траты. Чем больше мы работаем и строим планы на будущее, тем больше у нас противников и тем сильнее наше искушение совершать поступки, которые могут причинить зло другим. Переход от семейной жизни к жизни в одиночестве, подобной жизни христианских монахов и монахинь, которые пять-шесть раз на дню совершают молитву, читают книги, предаются размышлениям и почти не ставят перед собой никаких мирских целей и не выполняют никакой светской работы, предоставляет огромные выгоды.

332

В момент смерти отрекающийся наиболее беззаботен. У других часто находятся многочисленные поводы для беспокойства: «Что станет с моим ребенком? Как он сможет пойти в школу? На что он будет жить? А что станет с моей женой? Как мой пожилой муж станет жить без меня? Очевидно, моя молодая супруга будет жить с другим мужчиной». Не правда ли, что от всех этих мучительных мыслей лучше было бы избавиться в момент смерти?

Во многих странах единственной опорой семьи является отец. Если он умирает, то его жена остается без средств к существованию и спрашивает себя, на что она будет жить дальше. Если у женщины есть дети, то ее положение поистине трагично.

333

До брака мы озабочены тем, что еще не нашли спутника жизни. После свадьбы нашей безмятежной жизни приходит конец. Мужчина спрашивает себя, любит ли его еще его жена, а женщина — нравится ли она еще своему мужу. Это очень сложно.

334

Сама свадьба является поводом для значительных денежных расходов. Необходимо, чтобы торжество было пышным. В Индии люди жертвуют для этого огромную часть своих богатств.

Они экономят на всем, даже на еде. Когда свадьба сыграна, кто-то страдает от невозможности иметь детей, а кто-то — от того, что может иметь детей, но не хочет, и прибегает к аборту.

Разве не разумнее было бы избегать таких мучений? Монахи и монахини часто спрашивают себя, не лучше ли им было бы жить в супружестве, но не будет ли им спокойнее, если они освободятся от таких мыслей? Действительно, жизнь в одиночестве гораздо безмятежнее.

335

Некоторые думают, что здесь во мне говорит эгоист. Я в этом не уверен. Люди, принимающие решение вступить в брак, делают это для себя, а не для блага других. Однако, ставя перед собой подобную цель, они часто заблуждаются. Что же касается тех, кто дает обет безбрачия, например, христианские монахини и монахи, то они имеют возможность полностью посвятить себя оказанию помощи другим, выхаживанию больных. Я думаю о матери Терезе, у которой не было ни мужа, ни детей, ни семьи и которая посвящала все свое время бедным. Имея семью, это куда сложнее. Но если у человека есть воля, то у него есть работа по дому, есть дети, которых нужно вести в школу, и все остальное.

336

В нашем правительстве в изгнании существует предписание, позволяющее монаху, направляемому куда-либо на работу, тут же освободиться от своих обязанностей. Если его отправляют в другую страну, — это не вызывает никаких затруднений. Если ему прикажут вернуться, — он немедленно возвращается. Спросите о том же самом у торговца — и это приведет его в замешательство. Он наверняка скажет: «Я приехал сюда, намереваясь открыть магазин, я прошу простить меня, но я должен остаться...»

337

Я бы хотел теперь поговорить о священнослужителях, которые являются наставниками для других. Тсонгхапа говорил о том, что, какого бы пути духовного развития мы ни придерживались, не следует стремиться изменить другого, не стремясь измениться самому. Если мы наставляем, например, о вреде гнева, то мы сами не должны проявлять негодования, — иначе нам не удастся убедить наших учеников. То же самое касается и наставлений о желаниях и умеренности.

338

Один мой знакомый лама написал мне, что в Непале за три десятилетия жители Тибета построили многочисленные монастыри с роскошными храмами, украшенными дорогими статуями, но за это время не возвели ни одной школы и ни одной больницы. Я уверен, что на их месте христианские священники так бы не поступили.

Молодые буддистские священники, облаченные обычно в монашеские одеяния, с наступлением вечера надевают костюмы и отправляются на многочисленные светские приемы, стараясь держаться на них как чрезвычайно зажиточные деловые люди. Я спрашиваю себя, поступил бы когда-нибудь Будда подобным образом.

339

Это действительно правда: Будда проповедовал самоотречение и преданность ближнему — но мы об этом забыли. По-моему, это подходящий повод для прессы изобличить лицемерие. Это единственное, что необходимо сделать.
Будда говорил, что нужно посвящать других в свою истину согласно их потребностям и самому показывать пример того, чему обучаешь. Так будем же проверять полученные знания на практике, прежде чем передавать их другим!

РАЗМЫШЛЕНИЕ О СОЗЕРЦАТЕЛЬНОСТИ

340

Буддизм, как и другие религии, подразумевает некоторое количество наставлений, преподносимых в форме зрительной наглядности и передаваемых от наставника к ученику, и именно эти наглядные представления придают истинную ценность духовным практикам через возможность приобщения к жизненному опыту. Несмотря на свою немногочисленность, они являются источником того, что можно назвать «знамением победы» практического знания. С помощью душевного спокойствия и глубокого размышления они достигают состояния медитации и внутреннего удовлетворения, порождая и теоретическое знание, которое без практики будет иметь немного вымышленный, неестественный характер. Мне остается лишь подбодрить их.

РАЗМЫШЛЕНИЯ О ВЕРЕ

341

Не подлежит сомнению, что вера играет важную роль в любой религии. Но необходимо, чтобы вера была оправдана достаточно вескими доказательствами. Нагарджуна[1], великий индийский философ II века, говорил о том, что познание и вера должны идти рука об руку. Верно то, что, согласно канонам буддизма, вера рассматривается как источник высших перерождений и познание — как источник Просветления, но говорится также, что «вера проистекает из непосредственного чистого знания»; иными словами, необходимо знать, почему мы веруем.

---

[1] См. примечание 1, с. 49.

В буддизме различают три уровня веры: посвящение, устремление и убеждение. Внушенная вера есть проявление восхищения, испытываемого при углублении в текст, при встрече с неординарным человеком, при восприятии речей, говорящих о Будде. Вера, основанная на желании, сама по себе основана на духе соперничества: мы стремимся к познанию, сосредоточению, уподоблению с объектом нашего почитания. Эти две разновидности веры не являются строго определенными, ибо они не основаны на истинном знании. Убежденная вера основана на ясном осознании того, что то, к чему мы стремимся, возможно. Такая вера основана на могуществе разума. В сутрах Будда, наставляя своих учеников, требует не слепо верить в то, что он говорит, а подвергать его слова испытанию верой, подобно тому, как золотых дел мастер проверяет чистоту золота, разминая, разогревая, растягивая его.

Если наша вера не имеет прочного обоснования, то она обречена на призрачность. Некоторые приверженцы буддизма, тибетцы и другие, очень высоко ставят преданность духовному наставнику. Но в случае внезапной кончины учителя они перестают поклоняться ему. Они считают, что все кончено, и центр учения закрывает свои двери. Тем не менее, по большому счету, реальное присутствие живого учителя не так уж и важно. Учитель воплощает высшую природу разума, и его снисхождение безгранично. Тот, кто признает такую ипостась учителя, не испытывает к нему человеческой привязанности. Он знает, что даже если учитель и покинул свою телесную оболочку, воплотившись в абсолютном теле, — его деяния и благословения все равно незримо присутствуют в этом мире[1].

---

[1] В буддизме Ваджраяны подлинный учитель, с которым у ученика завязываются тесные отношения, ставит своей единственной целью раскрыть ученику его собственную природу. Вначале вера в наставника позволяет ученику более глубоко познать суть вещей, а наставнику, в свою очередь, — совершенствовать мыслительные способности ученика. В конце учитель и ученик составляют единое целое: ученик постиг настоящую природу своего

Если мы думаем, что с того момента, как наш духовный наставник покидает этот мир, у нас больше нет предмета поклонения, то это означает, что поклонение перешло в привязанность. Мы дорожим нашим учителем как другом, таким же человеком, как и мы, единомышленником, близким приятелем. В этом случае, умирая, он полностью исчезает, и мы не знаем, что делать. То, что мы при этом испытываем, несомненно, не имеет ничего общего с истинным поклонением.

собственного разума, являющегося, по сути, «совершенным воплощением Будды», неиссякаемым источником познания и сострадания. Вот почему тот, кто придает исключительное значение внешним качествам учителя, оказывается не в состоянии постичь окружающую реальность и воспринимает свое общение с учителем как общение с обычным человеком.

РАЗМЫШЛЕНИЯ О РЕЛИГИОЗНОМ ФАНАТИЗМЕ

345

Мне представляется, что существуют два возможных способа избежать религиозного фанатизма. С одной стороны, необходимо относиться с должным уважением ко всем конфессиям. Например, я исповедую буддизм, но в то же время высоко ценю христианство и другие верования. С другой стороны, можно не только уважительно относиться к другим религиям, но и стремиться исповедовать и их тоже. Так, например, есть люди, считающие себя одновременно приверженцами буддизма и христианства. В определенных пределах это вполне возможно.

Но если мы в своем стремлении исповедовать несколько религий перейдем эти пределы, то это уже совсем другая проблема. Углубляя «пустоту» и взаимозависимость вещей[1], существующую в мире вещей, нам становится трудно принять в то же время идею самодостаточного и неизменного единого Бога-творца. Также и для тех, кто верует в Бога как единого творца Мироздания, понимание идеи взаимозависимости становится проблемой. Начиная с определенного уровня, мы познаем нравственные основы религии, и тогда мы вынуждены, если можно так выразиться, «выбирать свою узкую специализацию». Это ни в коем случае не исключает уважительное отношение к другим путям духовного совершенствования, но быть их реальным поклонником становится проблематично[2].

[1] «Пустота», в том смысле, в котором трактует это понятие буддизм, означает скорее не «небытие», а простое отрицание существования отвлеченной реальности. Понятие «взаимозависимости» тесно связано с понятием «пустоты» и иногда уподобляется ему.

[2] Далай-Лама часто говорит о том, что понятие Бога вполне приемлемо для человека, исповедующего

Кроме того, в буддизме существует особая практика, называемая «спасение». Я не уверен, что человек, обретший спасение в Будде, сможет подобным образом обрести свое спасение, например, и во Христе, избежав необходимости выбора. Я считаю, что в этом исключительном случае предпочтительнее рассматривать Христа как одно из воплощений Бодхисаттвы.

буддизм, если Бог воспринимается как Бесконечная Любовь. Далай-Лама даже задается в этой связи вопросом о том, не является ли Любовь первопричиной всех вещей. Чтобы понять логику рассуждений Далай-Ламы, читатель может обратиться к книге Маттье Рикара и Тринх Хуан Тауна L'infini dans la paume de la main. Nil, 2000.

НАСТАВЛЕНИЯ ТЕМ, КТО ЖЕЛАЕТ ИСПОВЕДОВАТЬ БУДДИЗМ

348

В самых общих чертах я склонен считать, что для каждого из нас религия, которую исповедовали наши отцы, наиболее приемлема. Кроме того, крайне нежелательно, однажды выбрав свой духовный путь, изменять ему.

349

Сегодня множество людей проявляют большой интерес к духовной жизни, — в частности, к основам буддизма. Но тем не менее они не дают себе труда тщательно постичь этапы того пути, на который они намерены вступить. С самого начала нужно быть уверенным в том, что выбранный вами путь действительно отвечает вашим склонностям и духовным потребностям. Спросите себя, способны ли вы полностью посвятить себя следованию по этому пути и какие духовные преимущества сможете при этом получить. Изучите основные свидетельства. Конечно, вы не сможете узнать все о буддизме, не восприняв искренне эту веру, но вы получите прекрасные знания того, что составляет ее основу. Затем серьезно поразмыслите над этим. Если после этих размышлений вы решитесь принять эту веру — прекрасно. Только тогда вы сможете глубже проникнуться основами буддизма и при необходимости пройти посвящение.

350

В буддистской традиции есть множество способов медитации. Они могут быть аналитическими, сосредоточенными на единственном объекте, могут быть и беспредметными, представляя собой глубокое внутреннее самосозерцание. Их объектом может быть непостоянство, самоотстраненность, страдание, любовь, сострадание и так далее. Но чтобы правильно разобраться в этом, необходимо следовать советам мудрого наставника, внушающего доверие.

Наставник, посвящающий вас в основы буддизма, играет главную роль. Поэтому вам следует также узнать, какими качествами должен обладать истинный духовный наставник, узнать, обладает ли ваш учитель этими качествами, понять, искренне ли ваше решение следовать за ним.

351

Проявляйте осмотрительность в любых ваших поступках. Ни в коем случае не стремитесь стать последователем буддизма необдуманно, неосознанно, лишь по внезапному желанию, ради того, чтобы в дальнейшем признать, что та или иная практика для вас не подходит или кажется вам неприемлемой.

Некоторые, узнав, что лама где-либо распространяет свое учение, по сути ничего не зная о нем, приходят к нему на исповедь, не удосуживаясь удостовериться в наличии или отсутствии у него необходимых внутренних качеств. Спустя некоторое время они замечают его недостатки. Они считают, что лама — единственный человек, находящийся рядом с ними, и доверяют ему свое духовное воспитание, даже не дав себе труда как следует узнать своего наставника. Они получают рекомендации, даже проходят посвящения, но затем, в один прекрасный день, их отношение меняется на противоположное. Они не скрывают своего негодования и кричат на каждом углу о том, что лама совратил их подружек, — а через это ополчаются и на буддизм вообще. Эти люди лишь извращают подлинное знание, доверяясь неопытным священнослужителям-наставникам, и возлагают вину за свои горькие разочарования на самого Будду. На что это похоже? Они лишь заблуждаются в своем отношении. Им необходимо получить достаточные сведения, прежде чем принимать посвящение.

353

Предварительное испытание духовного наставника является важным этапом, о чем часто упоминается в буддистских текстах. Если мы создаем духовную близость с наставником необдуманно, не замечая, что недостатки последнего лежат на поверхности, — это воспринимается как катастрофа. Во всяком случае, выполнив все предварительные условия и пройдя обряд посвящения, предпочтительнее не предаваться дурным мыслям.

354

Любому живому существу присущи определенные достоинства и недостатки. Буддистские тексты говорят, что духовный наставник должен обладать положительными духовными качествами, гораздо более развитыми, нежели у нас, но что это означает на самом деле? Предположим, что кто-то получил наставление в устной форме, что сегодня крайне редко. Даже если он недостаточно образован, он в этом послании, в определенном смысле, получил доступ к обладанию чем-то, недоступным нам, и в этом смысле его превосходство над нами неоспоримо.

355

Даже если мы вверяем себя недобросовестному или недостаточно опытному духовному наставнику, проповедующему нам учение Будды, то такой наставник, несмотря ни на что, заслуживает нашей признательности. С этой точки зрения кажется не вполне привычным восприятие его как обычного человека или, что еще хуже, человека, на которого случайно обрушивается поток нашего негодования. Даже если мы испытываем разочарование, он все равно был для нас духовным наставником, и поэтому лучше избегать такого крайне негативного отношения.

Это ни в коем случае не означает, что мы должны, как ни в чем не бывало, следовать его наставлениям. Мы имеем полное право навсегда разорвать всякие отношения с этим человеком, дабы никогда в жизни больше не встречаться с ним. Когда вы уже приобщились, посредством кого-либо, к учению Будды, лучше всего будет, если вы считаете это возможным, воспитывать в себе доверие к этому учителю. Если это невозможно, то постарайтесь сохранить нейтральное отношение, не допуская ни хороших, ни плохих мыслей об этом человеке.

356

Не надейтесь, что выполнение буддистских обрядов поможет вам в кратчайшие сроки достигнуть неба, преодолеть материю и разгадать тайну будущего. Главная цель практик — научиться управлять своим духом, а не приобрести чудесную силу. Случается, что, приобретая умение управлять собственным духом, мы постепенно опосредованно сами достигаем «чудодейственной» силы. Но если мы воспринимаем это как основную цель, то у меня есть серьезные основания для сомнений в том, что то, чем овладевает посвящаемый, имеет какое-то отношение к буддизму. Даже те, кто не исповедует буддизм, обладают такими возможностями. Кажется, в свое время такие люди очень интересовали КГБ и ЦРУ. Так будьте же предельно бдительны.

РАЗМЫШЛЕНИЯ О БУДДИСТСКИХ РЕЛИГИОЗНЫХ ОБРЯДАХ

357

Часто, приступая к выполнению какой-либо духовной практики, вначале мы ощущаем себя полными решимости, затем мы начинаем ожидать результатов, в конце концов, нам все надоедает, и мы испытываем отвращение. Это говорит о нашей недальновидности. Ошибкой будет ожидать скорого результата, если, конечно, мы не прилагаем для этого усилий, сравнимых с теми, которые прилагал великий учитель йоги Миларепа. Разве не показательно, что Будде потребовалось «три великих неисчисляемых эона»[1] для того, чтобы достичь Высшего Просветления? Разве можно подумать,

---

[1] Очень длительный промежуток времени. Термин «неисчисляемый» применен здесь для обозначения самого большого известного числа, применяемого при счете в Древней Индии.

что он смог бы достичь Просветления за несколько лет добровольного ухода от мира? Это показывает, что мы недостаточно осведомлены. Утверждать, что можно достичь состояния Будды за три года, лишь позвякивая колокольчиком[1], как это иногда случается, несерьезно.

358

Почувствовать в себе стремление к осуществлению буддистских практик — прекрасно, но, когда говорят, что Будда воспринял добродетели и мудрость за временной промежуток, равный «трем великим неисчисляемым эонам», то условимся считать, что все это время необходимо для того, чтобы достичь Высшего Божественного Просветления. Согласно Махаяне, Будда уже

---

[1] Колокольчик, символизирующий пустоту или мудрость, один из основополагающих аспектов буддизма, часто используется в тантрических обрядах. Здесь Далай-Лама придает этому символу иронический смысл, беспощадно высмеивая тех, кто заботится лишь о соблюдении обрядов, не задумываясь об их подлинном смысле.

давно достиг Просветления благодаря своей мудрости. Затем он принял вид воображаемого тела и сотворил так, словно стремился повторить путь, приведший его к Озарению, с самого начала. Но опять-таки, разве он не проявил мудрость, поступив так? Мы, стремящиеся идти по его следам, постоянно размышляем над тем, что даже в своей последней жизни он посвятил еще шесть лет строгому воздержанию. Может быть, это убедит нас в пагубности недальновидности.

359

Правда, говорят, что с помощью Малого Пути Ваджраяны можно довольно быстро достичь состояния Будды, не предаваясь различным отрицательным переживаниям. Но это довольно рискованно. В жизнеописании Миларепа, лама говорит ему: «Тот, кто проповедует мое учение днем, днем становится Буддой, тот, кто проповедует мое учение ночью, воплощается в Будду ночью, а избранными являются те, кто обладает положительной кармой, — им нет необходимости предаваться медитациям». То есть Миларепа, совершенно убежденный в том, что принадлежит к числу таких избранных, ограничился лишь сном. Если мы впадаем в такого рода заблуждение, то мы рискуем вспыхнуть в самом начале и очень быстро сгореть. Если же, напротив, наше рвение основано на глубоком знании этапов духовного пути, то мы сможем пройти его до конца. Главное — отдавать себе отчет в этом.

360

Религиозные верования сообщают нам наставления или моральные заповеди, характеризующие душевные качества человека. Некоторые приверженцы веры, в частности, буддизма, не уделяют должного внимания нравственной стороне, а увлекаются лишь медитациями, от которых они ожидают неких чудодейственных прозрений. Когда же они видят, что ничего подобного не происходит, они испытывают горькое разочарование.

361

Цель духовной практики состоит не в обретении чудодейственных способностей, а в преображении нашего внутреннего мира. Главная трудность заключается в том, что мы не готовы посвящать практике необходимое для этого время. Мы считаем, что Будде требовалось множество эонов, тогда как нам для процесса самосовершенствования достаточно и двух-трех лет. Поэтому я считаю приобщение к духовному пути Махаяны незаменимым. Если мы испытываем все возрастающий интерес к Ваджраяне, то, однажды приобретя достаточные познания в практике Махаяны, мы сможем достаточно укрепить свои знания для прохождения этого пути, даже если это займет временной промежуток, равный трем эонам.

Ощущая такую уверенность, можно приступать к выполнению Ваджраяны, рассматривая эту духовную практику как способ, позволяющий легко обрести душевное спокойствие и внутреннюю сосредоточенность, и тогда у нас появится больше возможностей достичь успеха.

Напротив, стремление к выполнению духовной практики Ваджраяны человека, не имеющего значительного духовного опыта, приведет к ошибочному мнению о том, что возможно без усилий достичь состояния Будды, как говорят, «в единой жизни, в едином теле». Можно и принять воображаемое божество, которому поклоняемся, за творца мироздания и убедить себя в том, что, если уверовать в это божество, то оно дарует нам всемогущество, долгую жизнь, богатство и я не знаю еще какие блага[1].

Некоторые люди не исповедуют веру в учение Будды, а проявляют к нему чисто теоретический интерес. Некоторые считают себя последовате-

---

[1] «Божества», которым поклоняется последователь буддистской духовной практики Ваджраяна, представляют собой не воплощение божественного вне человеческой сущности, а образы собственного внутреннего мира посвященного, его божественную природу, и имеют целью его духовное совершенствование.

лями учения Будды, но ограничиваются попыткой его разумного объяснения с теоретической точки зрения. Проблема заключается в том, что единственная цель этого учения — помочь нам изменить свою духовную сущность, а не дать нам новое знание о мире. Если, приобщившись к теоретическому знанию, мы не будем применять его на практике в процессе медитации, то такое знание окажется абсолютно бесполезным. Мы рискуем стать так называемым «пресыщенным буддистом», то есть человеком, знающим основы учения Будды, который способен донести его суть до других, но так и не сумел ощутить его «вкуса». Ибо такому человеку не дано воплотить полученные знания в повседневной жизни. Напротив, когда мы прикладываем все усилия для того, чтобы применять полученные знания в собственной духовной практике, то мы сможем открыть для себя их истинный «вкус», не рискуя впасть в излишества. Таким образом, необходимо подчинять стремление к овладению знаниями духовным потребностям. Знание и его практическое применение должны дополнять друг друга.

Те, кто желает приобщиться к созерцательной жизни и совершать долгие, наподобие добровольного ухода от мира в течение трех лет, традиционно часто практиковавшегося в Тибете, погружения в себя, должны тщательно подготовиться к этому при помощи «приготовляющих практик»[1]. Затворничество в четырех стенах, пренебрежение правильным следованием практикам, помогающим направить разум по духовному пути, ничем не отличается от тюремного заточения. Если в состоянии медитации мы способны лишь произносить мантры, не задумываясь о чем бы то ни было, — такое погружение в себя окажется почти бесполезным. Мы приступили к нему в состоянии обычного человека, — в конце ничего не изменится. Мало того, мы станем еще надменнее, чем прежде, внушая себе, что за три года затворничества мы вполне заслужили титул «ламы». Для чего все это?

---

[1] «Приготовляющими» практиками называются практики, предназначенные для подготовки сознания к осуществлению практик, называемых «основными».

Напротив, добросовестное выполнение подготовительных обрядов, а в дальнейшем — безукоризненное выполнение обрядов основной практики, и лишь затем — уединение в течение трех лет позволяют достичь уверенности в том, что наш образ мышления, способ выражения своих мыслей и мотивация поступков изменятся. По меньшей мере, мы будем ощущать себя более собранными и сосредоточенными, а это уже хорошо.

365

Если вы, как последователь буддизма, стремитесь посвятить себя служению людям, то ваше устремление заслуживает похвалы. Убедитесь, что ваше намерение в высшей степени искренно. Тем не менее общественное служение само по себе не может рассматриваться в числе основных постулатов буддизма, в случае, если оно не продиктовано потребностью в любви и сострадании и не направлено на познание Будды[1].

_____

[1] Стремление к самосозерцанию — одна из основополагающих практик буддизма. Это означает исключи-

Вот почему вам следует посвящать часть вашего времени периодам медитаций, во время которых вы сможете устраниться от окружающего мира и посвятить себя размышлениям о непостоянстве, о страдании и других проблемах духовной жизни.

тельное доверие себя Будде как проводнику, признание распространения его учения делом своей жизни и сообщества верующих — соратниками на своем жизненном пути. На более углубленном уровне, на стадии, предшествующей осуществлению духовных практик это означает признание своей собственной высшей сущности как сущности самого Будды.